Chère lectr

Rappel

En … Très liés aux Barone, les Co… qu'ils tiennent dans le quartie… de grands projets pour lui : il … Mais une scandaleuse passion … amoureux fou d'Angelica Salvo (fiancée à Vincent, le fils d'Antonio), Marco s'enfuit avec elle. Nous sommes le 14 février, jour de la Saint-Valentin, symbolique s'il en est.

La colère des Conti n'a pas de bornes. Blessé dans son orgueil, Antonio rompt avec les Barone. Quant à Lucia, folle de rage, elle maudit Marco et toute sa descendance, auxquels elle promet des Saint-Valentin noires et douloureuses, en souvenir de la trahison.

Des amours de Marco et Angelica vont naître Carlo, Paul et Luke… et une formidable réussite économique et sociale grâce au business qu'ils ont lancé : Baronessa Gelati. *Lorsque Carlo atteint l'âge de se marier,* Baronessa Gelati *est au top 500 des plus grosses fortunes mondiales. Carlo épouse alors Moira Reardon, fille du gouverneur du Massachussets. Le couple aura huit enfants.*

Au moment où s'ouvre la saga Les Barone et les Conti, *nous sommes en 2003. Les huit héritiers Barone sont désormais adultes, riches et habitent toujours Boston, près de Carlo et Moira. Marco, Angelica, Vincent sont morts. Mais Lucia vit encore et elle n'a toujours pas pardonné.*

Résumé des volumes précédents…

Avec Nicholas, (L'aîné des Barone) *puis Colleen* (La brûlure du passé), *vous êtes entrées dans le monde brillant et farouche des Barone. Des Conti, vous avez fait la connaissance dans de sombres circonstances : ont-ils commandité le sabotage de la dernière opération de communication et de prestige de* Baronessa ? *En tout cas, l'image de la célèbre société en a sérieusement pâti et c'est Gina qui a dû s'employer à redorer son blason, avec le consultant Flint Kingman, qu'elle a finalement épousé* (Les feux du désir). *Ce mois-ci, la saga aborde une tout autre facette de l'univers des Barone : la vie discrète et passionnée de Rita Barone, infirmière. Toute dévouée à son exigeant métier, Rita songe peu à l'amour. Pourtant, dans le milieu de l'hôpital, elle a un admirateur aussi secret et ardent qu'elle…*

La saga Les Barone et les Conti *ne fait que commencer. Vous la retrouverez chaque mois, de janvier à décembre.*

La responsable de collection

ELIZABETH BEVARLY

Elizabeth Bevarly ne s'est jamais imaginée autrement qu'en romancière. Néanmoins, avant de se lancer dans la grande aventure de l'écriture, elle a exercé toutes sortes de métiers : ouvreuse, serveuse, vendeuse… Puis, enfin, elle a pu se consacrer à sa passion et nous offrir les heures heureuses que nous connaissons en la lisant.

Quand elle ne travaille pas à ses romans, Elizabeth aime cultiver son goût pour les vieux classiques du cinéma, les demeures de charme, la lecture (bien sûr), et la musique. Ses genres préférés ? Le hot jazz et la salsa endiablée.

Cet ouvrage a été publié en langue anglaise
sous le titre :
TAMING THE BEASTLY MD

Traduction française de
SYLVIE CALMELS-ROUFFET

HARLEQUIN®

est une marque déposée du Groupe Harlequin
et Rouge Passion® est une marque déposée d'Harlequin S.A.

Originally published by SILHOUETTE BOOKS,
division of Harlequin Enterprises Ltd.
Toronto, Canada

83-85, boulevard Vincent-Auriol, 75013 PARIS — Tél. : 01 42 16 63 63
Service Lectrices — Tél. : 01 45 82 47 47
ISBN 2-280-08300-0 — ISSN 0993-443X

ELIZABETH BEVARLY

Un lien secret

COLLECTION ROUGE PASSION

PRÉSENTATION DES PERSONNAGES

Faites connaissance avec les membres des deux puissantes familles ennemies, les Barone et les Conti. Ce mois-ci…

QUI SONT-ILS ?

Rita Barone :

Le million de dollars qu'elle a reçu à sa majorité pourrait lui permettre de mener une existence insouciante. Mais elle a choisi de consacrer sa vie aux autres en exerçant le métier d'infirmière. Aux dépens de sa vie privée.

Matthew Grayson :

Brillant chirurgien, issu d'une vieille famille de l'aristocratie bostonienne, il jouit des privilèges de la fortune et affiche une arrogante assurance. Derrière ce masque, se cache un homme blessé dans sa chair comme dans son âme. Mais qui le sait ?

Prologue

Le 12 février. 9 heures du matin.

La neige, tombée en abondance sur Boston la veille au soir et durant une bonne partie de la nuit, feutrait tous les bruits. Le rythme trépidant de la ville semblait s'être momentanément ralenti. Seules, les urgences des hôpitaux étaient en pleine effervescence.

Rita Barone jeta un coup d'œil circulaire sur la salle d'attente déjà surpeuplée du Boston General Hospital. Tout le personnel médical était à pied d'œuvre — du moins ceux qui n'étaient pas restés bloqués chez eux par la neige. Quelques minutes plus tôt, elle avait délaissé son poste d'infirmière en cardiologie pour venir donner un coup de main au service des urgences complètement débordé par le nombre des patients qui ne cessaient d'affluer malgré les intempéries.

La queue qui menait au guichet d'inscriptions avançait à une allure d'escargot. Il semblait que tout Boston se fût donné rendez-vous ici. Clochards, femmes portant dans leurs bras des enfants emmitouflés dans des couvertures. Un essaim de chariots chargés des blessés d'un accident de la circulation survenu quelques instants plus tôt se frayait un chemin vers les salles d'examen. Ceux qui attendaient devinèrent que leur attente serait prolongée d'autant avant qu'on les appelle. Dans un coin, une famille de Portoricains assise en rond mangeait du poulet frit. Ils paraissaient détachés de ce qui se passait autour d'eux et semblaient ne même pas avoir remarqué l'arrivée des victimes de l'accident. L'odeur douceâtre de l'hôpital, mélange d'alcool et de désinfectant, ne semblait pas altérer leur appétit.

Malgré des conditions de travail souvent difficiles, Rita retrouvait toujours avec plaisir l'atmosphère survoltée des urgences, le service où elle avait fait ses débuts comme élève infirmière. C'était un peu comme un retour à la maison. Au sens figuré du terme, cela va de soi. Car à la maison, il n'y avait ni traumatisme crânien ni arrêt cardiaque à prendre en charge. Bien au contraire, quand Rita ouvrait la porte de la vaste demeure familiale sur Beacon Hill — pas le petit immeuble de briques rouges au nord de Boston qu'elle partageait avec sa sœur Maria — ses parents la dorlotaient comme une princesse.

Elle aurait d'ailleurs très bien pu mener l'existence luxueuse d'une véritable princesse compte tenu du million de dollars qu'elle avait reçu le jour de ses vingt et un ans comme chacun de ses frères et sœurs. Mais aussi surprenant que cela puisse paraître, Rita avait choisi d'être infirmière. Et après bientôt trois ans passés au service des malades, elle ne regrettait pas le moins du monde sa décision.

« Difficile pour les princesses de sauver des vies », songea-t-elle avec un sourire pensif tandis qu'elle posait ses grands yeux de velours brun sur la file des nouveaux arrivants.

— Excusez-moi, mais ça va bientôt faire plus de deux heures que j'attends.

La femme qui s'adressait à Rita se pencha par-dessus le long bureau encastré en Formica blanc qui gardait l'entrée des salles d'examen, comme pour vérifier s'il n'y aurait pas eu par hasard un médecin caché dessous.

— Dans combien de temps, puis-je espérer voir un médecin ?

Rita lui offrit un sourire sans conviction.

— Oh, j'imagine que ça ne devrait plus être très long, répondit-elle tout en sachant pertinemment qu'elle était sans doute trop optimiste. Malheureusement, je ne peux rien vous garantir car la neige a provoqué beaucoup d'accidents. Du reste, elle bloque la plupart des accès à la ville, si bien que nous sommes à court de personnel.

Elle se garda bien évidemment d'ajouter que l'équipe médicale prenait en priorité les cas les plus graves. Tous ceux qui, comme cette femme, ne souffraient que d'une toux accompagnée d'une légère fièvre, étaient partis pour attendre un moment.

A l'instant, une ambulance venait de prévenir de son arrivée d'une minute à l'autre. Un sans-abri victime d'une crise cardiaque à deux pas de l'hôpital. Rita avait aussitôt alerté l'unité de cardiologie. On lui envoyait le « meilleur » — le Dr Matthew Grayson, une sorte de légende.

En réalité, la célébrité de ce dernier ne reposait pas uniquement sur ses brillants états de service. Elle tenait aussi à sa personnalité. Une personnalité qui lui avait valu d'être méchamment et exagérément surnommé le « monstre » par plus d'une infirmière.

L'homme était en effet intimidant. Dans ses meilleurs moments, il était distant, mais le plus souvent, il était d'une froideur paralysante et pouvait se montrer extrêmement cassant, voire inhumain, dans ses rapports avec celles et ceux qui le côtoyaient professionnellement. D'où sa réputation de « monstre ». Une réputation que ne faisait qu'accentuer la cicatrice qui sillonnait sa mâchoire gauche.

Rita aurait donné cher pour savoir ce qui avait occasionné une telle blessure. Mais comme toute personne douée de bon sens, elle s'était bien gardée de questionner l'intéressé. Quoi qu'il en soit, les traces étaient restées profondes malgré un recours évident à la chirurgie. Matthew Grayson était marqué à vie.

Cependant, mis à part son sale caractère, c'était un médecin fantastique. A trente-trois ans, il était considéré comme l'un des meilleurs spécialistes en chirurgie cardiaque, sinon le plus rapide. Et grâce à sa connaissance encyclopédique de la complexité anatomique du cœur, il faisait preuve d'une incroyable efficacité qui lui avait permis de sauver un nombre de vies incalculable. Rita avait eu maintes fois l'occasion d'admirer ses talents de chirurgien, et elle ne pouvait s'empêcher de penser qu'il était étrange, voire anormal, qu'un homme tel que lui, aussi doué, aussi patient et attentionné envers ses malades, puisse se montrer à ce point désagréable avec son entourage professionnel. Il y avait forcément une explication. De toute façon, il eût fallu bien plus que quelques balafres et sautes d'humeur pour intimider Rita Barone.

Avant-dernière d'une illustre famille de huit enfants, dont quatre frères aînés, elle avait très tôt appris à affronter les accès d'humeur du sexe opposé et à ne pas se laisser démonter par les brusqueries masculines.

Justement... En parlant de brusquerie masculine... Le Dr Grayson franchissait en trombe les portes à double battant du service et se précipitait vers elle. Comme d'habitude, il portait un pantalon noir à la coupe impeccable et une chemise blanche immaculée sous sa blouse qui flottait derrière lui tel un étendard.

— Notre arrêt cardiaque est-il arrivé ? demanda-t-il en guise de salut.

— Il ne devrait pas tarder, lui répondit Rita.

Malgré ses cicatrices, il était le plus bel homme qu'elle ait jamais rencontré, ne put-elle s'empêcher de songer comme chaque fois qu'elle le voyait.

Il avait des yeux d'une couleur étrange, comme s'ils n'arrivaient pas à se décider entre le vert ou le gris. Les cheveux châtain clair, les pommettes hautes et plates, la bouche sensuelle, le nez droit, la silhouette haute et athlétique. Il possédait un physique véritablement destiné à saper le bon sens de n'importe quelle femme. Seules les cicatrices griffaient ses traits presque trop parfaits. Mais, quelque part, ne le rendaient-elles pas plus humain… ?

La jeune infirmière sentit son cœur s'accélérer.

Debout à côté d'elle, Matthew Grayson semblait occuper tout l'espace par sa seule présence. Inexplicablement troublée, c'est avec un certain soulagement qu'elle entendit la sirène annonçant l'arrivée de l'ambulance.

Précipitamment, elle se leva de sa chaise et se précipita vers l'entrée des urgences, le Dr Grayson sur ses talons.

Les ambulanciers poussaient déjà dans leur direction une civière sur laquelle un vieil homme se débattait en hurlant. Il était d'une saleté repoussante, remarqua Rita en dirigeant les ambulanciers vers la salle d'examen. Et il était manifestement terrorisé. Instinctivement, elle lui prit la main et la tint serrée dans la sienne.

— Tout va bien, le rassura-t-elle. Vous allez vous rétablir très vite.

Naturellement, elle n'en savait rien, mais ce n'était certainement ni le lieu ni le moment de réciter les statistiques de survie des crises cardiaques.

— N'ayez pas peur. Je suis là pour vous aider.

L'homme arrêta aussitôt de se débattre et de crier. Il respirait difficilement, et quand il tourna la tête vers Rita, ses yeux d'un bleu délavé étaient remplis d'une peur panique.

— Qui… Qui êtes-vous ? s'étrangla-t-il avec une grimace de douleur.

— Je m'appelle Rita, répondit-elle d'une voix douce tout en caressant la main agrippée à la sienne afin de lui prendre le pouls aussi discrètement que possible.

Les pulsations étaient faibles, mais elles étaient là.

— C'est… C'est vous le docteur ? questionna le malade d'une voix rauque, la respiration hachée, de plus en plus laborieuse.

— Non, je suis l'infirmière, répondit Rita, consciente de l'activité qui se déployait autour d'eux. Un médecin va vous examiner. Vous êtes ici, aux urgences, parce que vous avez eu un petit accident cardiaque. A présent, il faut me laisser prendre votre tension.

Comme le vieil homme esquissait un mouvement de recul et ouvrait de nouveau la bouche pour hurler, elle ajouta précipitamment :

— N'ayez pas peur, ça ne fait pas mal. Je vous le promets. Laissez-moi simplement vérifier que vous allez bien.

— Nous avons réussi à le stabiliser, précisa l'un des ambulanciers. Mais il n'est pas sorti d'affaire.

Rita lui lança un regard réprobateur. Dire devant un patient qu'il était en danger n'était certainement pas la meilleure chose à faire pour le rassurer.

— Est-ce que… Est-ce que je vais mourir ? demanda le pauvre homme dans un gémissement.

— Allons, bien sûr que non, répondit fermement Rita, en grinçant des dents contre l'ambulancier qui avait accueilli son regard de reproche avec un haussement d'épaules. Nous allons rapidement vous remettre sur pied. Quel est votre nom ?

Le vieil homme la dévisagea un instant, l'air toujours aussi effrayé. Puis, décidant probablement qu'il pouvait se fier à elle, il murmura :

— Joe.

— Avez-vous de la famille, Joe ? poursuivit Rita tandis que le reste de l'équipe médicale s'affairait à le mettre sous oxygène et sous monitoring cardiaque.

Joe tenta de retirer le masque à oxygène. Doucement, mais fermement, Rita le maintint sur son visage en l'assurant que c'était pour son bien et que ce n'était que temporaire.

— Y a-t-il quelqu'un que nous puissions contacter, quelqu'un dont la présence vous réconforterait ? demanda-t-elle une nouvelle fois.

Le vieil homme prit une profonde bouffée d'oxygène avant de répondre faiblement :

— Non… Je n'ai pas de famille.

Puis, après une seconde d'hésitation, il ajouta dans un murmure à peine audible :

— Mais… Mais vous…

Il poussa un soupir douloureux et agrippa plus fortement la main de la jeune femme.

— Vous… Vous êtes un réconfort…

Rita lui sourit.

— Dans ce cas, Joe, je vais rester près de vous. Ça vous va ?

Le vieil homme acquiesça d'une voix chevrotante :

— Très bien. Surtout… ne m'abandonnez pas.

— C'est promis.

Un faible sourire sembla glisser sur les lèvres du malade qui s'affaiblissait rapidement. Son pouls était à présent à peine perceptible et Rita fit une courte prière afin que tout se passe bien pour Joe. Elle ne connaissait rien de lui, si ce n'est qu'il n'avait ni foyer ni famille.

— Voici le Dr Grayson, lui dit-elle en désignant du menton le chirurgien qui se tenait de l'autre côté de la table d'examen. Il va s'occuper de vous. C'est un as.

Quand elle releva les yeux sur Grayson, il lui sembla qu'il l'observait avec attention comme s'il voulait lui dire quelque chose. Elle ouvrait la bouche pour le lui demander quand leur patient se remit soudain à s'agiter et à crier. Pensant qu'il souffrait, elle se pencha de nouveau vers lui pour tenter de le soulager. Mais visiblement, ce n'était pas la douleur qui le paniquait. Il regardait Grayson fixement.

— Ne le laissez pas... me toucher. C'est... C'est un démon !

Feignant d'ignorer la remarque, Matthew Grayson s'approcha du malade qui continuait à s'égosiller.

— Qu'il s'en aille... Ne me touchez pas !

— Joe, je vous en prie, intervint Rita avec douceur, sans oser relever les yeux tant elle était gênée pour Grayson.

Mais rien ne semblait pouvoir calmer le vieil homme.

— Son visage ! hoqueta-t-il. Il ressemble aux gargouilles... de St Michael. Elles viennent parfois... dans... dans mes rêves. Pour... Pour m'emmener en enfer. Ne le laissez pas m'emmener !

— Joe, tout va bien, intervint de nouveau Rita en le tenant fermement aux épaules. Le Dr Grayson est ici pour vous aider. C'est un excellent chirurgien, certainement le meilleur. C'est un homme merveilleux. Calmez-vous. Je suis là. Je ne laisserai personne vous faire du mal. Je vous le promets.

Ses paroles semblèrent rassurer le vieil homme, à moins que la douleur et l'épuisement n'aient eu raison de ses dernières forces. Il cessa de lutter. Pour autant, Rita ne lui lâcha pas la main. Elle délaissa pour cette fois son rôle d'infirmière et se contenta de lui murmurer à l'oreille des paroles réconfortantes comme quoi il avait beaucoup de chance d'avoir un médecin tel que le Dr Grayson pour s'occuper de lui et que, très bientôt, il se sentirait mieux.

Et au fond de son cœur, Rita était sincère quand elle lui assura de nouveau combien Matthew Grayson était un homme merveilleux.

1.

Deux mois plus tard

Pour un dimanche soir, l'unité de cardiologie était particulièrement calme. La pluie qui noyait Boston sous des trombes d'eau en ce début avril, avait incité les visiteurs à rentrer chez eux plus tôt que d'habitude.

Rita jeta un coup d'œil sur sa montre et poussa un soupir. 20 heures. Il y avait à peine deux heures qu'elle avait commencé sa garde et, déjà, le besoin de caféine se faisait sentir. Les six prochaines heures promettaient d'être longues.

Dans le couloir, deux aides-soignantes terminaient de ramasser les plateaux-repas. La distribution des médicaments n'aurait pas lieu avant cinq bonnes minutes. Cela lui laissait donc amplement le temps de s'échapper du bureau des infirmières pour courir se chercher un café au distributeur dans la salle d'attente. De toute façon, un café — même insipide — était son seul espoir de réussir à garder les yeux ouverts.

C'était la première garde de nuit qu'elle assurait depuis des semaines. Un peu plus de deux ans après son embauche au Boston General Hospital, elle avait finalement réussi à décrocher un poste en cardiologie avec des horaires réguliers en journée. Elle ne travaillait donc que très rarement après 18 heures, uniquement quand il s'agissait de rendre service à une amie, comme ce soir, ou même de se faire un peu d'argent supplémentaire, ce qui ne manquait pas de surprendre quand on savait qu'elle comptait parmi les héritiers de l'empire des glaces *Baronessa* fondé par son grand-père. Un empire qui pesait aujourd'hui plusieurs dizaines de millions de dollars. Mais Rita détestait l'image de fille à papa que lui prêtaient parfois ceux qui ne la connaissaient pas. Elle faisait partie de ces femmes qui détestent vivre aux crochets de la famille. Raison pour laquelle, elle n'avait pas touché à un seul centime du capital dont elle avait hérité à sa majorité. Elle mettait en effet un point d'honneur à vivre uniquement avec son salaire d'infirmière. D'ailleurs, il y avait exactement trois ans, jour pour jour, qu'elle avait signé son premier contrat de travail avec le Boston General Hospital. Elle y était entrée comme élève infirmière tout juste un mois après son vingt-deuxième anniversaire.

Marchant précautionneusement, le regard rivé sur son gobelet, afin de ne pas renverser une goutte de café, elle regagna le bureau. Le café était brûlant. Elle le posa sur la table et s'assit sur sa chaise. Machinalement, elle remit en place une boucle brune qui s'était échappée de sa tresse, avant de tendre la main vers sa corbeille à courrier pour prendre le dossier d'un patient.

C'est alors qu'elle aperçut le petit paquet posé sur les notes de service et autres papiers divers.

Un frisson d'appréhension descendit le long de sa colonne vertébrale.

Le paquet n'y était pas quelques minutes plus tôt quand elle était sortie se chercher un café. Il avait donc été déposé à l'instant. De forme carrée, il était enveloppé d'un papier blanc et orné d'un ruban doré. Un cadeau… ?

Curieusement, au lieu de se réjouir, Rita se sentit glacée.

C'était le troisième... Le troisième « cadeau » qu'elle trouvait dans sa corbeille. Et comme toujours, il n'était accompagné d'aucune carte.

Cela devenait inquiétant. Sérieusement inquiétant...

La première fois, c'était deux mois plus tôt, pour la Saint-Valentin. Ce jour-là, inutile de le nier, elle avait été ravie. D'autant plus ravie qu'il s'agissait d'une adorable petite broche. Un cœur en or. Un présent particulièrement approprié pour une infirmière en cardiologie, avait-elle songé en l'épinglant immédiatement sur sa tunique au-dessus de son nom.

Naïvement, elle avait attendu que l'auteur d'une si charmante attention se fasse connaître, et lui explique les raisons de son geste. Bien entendu, ses collègues de travail ne s'étaient pas privés de la taquiner. Tous prétendaient qu'il s'agissait à coup sûr d'un amoureux transi, trop timide pour flirter ouvertement avec elle. Hypothèse ridicule selon Rita qui n'imaginait même pas qu'en ce début de troisième millénaire, il puisse exister un homme encore capable de faire la cour à une femme de façon aussi délicate. Cependant, l'histoire avait fait le tour de l'hôpital et tout le monde s'interrogeait sur l'identité du mystérieux soupirant. Etait-ce l'un des séduisants internes attachés au service de cardiologie ? Un patient persuadé que c'était la jolie infirmière aux grands yeux bruns qui lui avait sauvé la vie ?

En tout cas, Rita avait continué de porter la broche en espérant que celui qui la lui avait offerte, se manifesterait tôt ou tard. Peine perdue.

Le deuxième cadeau était arrivé, toujours dans sa corbeille à courrier, le mois dernier, très exactement le jour de son vingt-cinquième anniversaire. Comme le précédent, il était enveloppé d'un papier blanc agrémenté d'un ruban doré. Et une fois de plus, aucune carte ne l'accompagnait. Rita l'avait ouvert en espérant y trouver un indice sur l'identité de son adorateur secret. Au lieu de ça, elle avait découvert un ravissant bracelet en argent aux maillons duquel pendaient une demi-douzaine de minuscules breloques. Elle avait alors éprouvé un sentiment de plaisir mêlé cette fois-ci… d'une pointe d'appréhension.

Bien entendu, elle avait aussitôt tenté de se convaincre que cette appréhension était parfaitement ridicule. Elle avait un admirateur, et après ? N'était-ce pas ce dont rêvaient toutes les femmes… ? Alors, comme elle avait épinglé la broche sur sa tunique un mois auparavant, elle avait passé le bracelet à son poignet, espérant toujours que l'auteur de ces gentilles attentions se ferait connaître.

Mais personne ne s'était présenté.

Et maintenant, tandis qu'elle regardait fixement le dernier cadeau, elle se sentait partagée entre la curiosité et la crainte très vive de l'ouvrir.

Le soupirant anonyme avait encore frappé… Cette fois, c'était la date anniversaire de son entrée à l'hôpital, trois ans auparavant.

Qui que ce soit, il commémorait à sa façon des événements particuliers — d'abord, la Saint-Valentin, puis ses vingt-cinq ans et, à présent, l'anniversaire de son embauche à l'hôpital.

C'était forcément quelqu'un qu'elle côtoyait quotidiennement au travail, conclut-elle. Un grand romantique, à n'en pas douter, essaya-t-elle de se rassurer.

Elle aurait tout de même bien voulu connaître son identité. Du moins, s'assurer qu'il n'y avait derrière ces cadeaux rien d'autre qu'une charmante attention. Car elle ne pouvait s'empêcher de songer que ces présents anonymes avaient quelque chose d'un petit peu effrayant.

Mais qui cela pouvait-il bien être ? se demanda-t-elle pour la centième fois. Elle n'avait pourtant perçu aucune lueur d'intérêt dans le regard de ses collègues masculins. Absolument rien qui lui laisse à penser que l'un d'entre eux puisse la considérer autrement qu'une habitante de la planète Terre.

A moins bien sûr qu'elle ne soit totalement aveugle aux signaux envoyés par les hommes. Hypothèse somme toute plausible dans la mesure où elle ne s'intéressait pas particulièrement au sexe opposé comme le faisaient la plupart des jeunes femmes de son âge. D'ailleurs sa sœur aînée, Gina, ne manquait jamais une occasion de le lui faire remarquer. Selon elle, la façon dont Rita se consacrait à son métier lui faisait rater tout un tas de belles choses que la vie vous offrait sur un plateau, entre autres les garçons.

Rita ne pouvait le nier. Elle donnait presque tout son temps aux malades. Elle était amoureuse de son travail. C'était une véritable vocation. Aussi loin qu'elle s'en souvienne, elle avait toujours voulu être infirmière. Que pouvait-il exister de plus passionnant, de plus exaltant que de sauver des vies ? se demandait-elle souvent. « Sauver sa propre sa vie », aurait répondu Gina. « Vivre sa vie », aurait bien évidemment renchéri Maria, sa sœur cadette. Et comme d'habitude, Rita leur aurait joyeusement répliqué : « Justement, mon métier, c'est ma vie. Et je suis très heureuse ainsi ». De toute façon, ses journées étaient bien assez remplies comme ça, sans aller chercher des complications dans une relation amoureuse — qui plus est sur son lieu de travail.

Par acquit de conscience, Rita vérifia une fois de plus qu'il n'y avait ni carte ni petit mot accompagnant le présent. Elle farfouilla dans sa corbeille, souleva le sous-main et, comme les deux fois précédentes, ne trouva rien.

Laissant échapper un soupir découragé, elle resta un long moment immobile à contempler le petit paquet avant de se décider à passer l'index sous le ruban doré pour le faire glisser. Elle déplia ensuite le papier blanc qui enveloppait une boîte — blanche, elle aussi. Lentement, elle fit tourner celle-ci entre ses doigts afin de l'examiner sous toutes les coutures à la recherche d'une étiquette, d'une marque susceptible de lui indiquer sa provenance. Toujours rien.

Délicatement, elle souleva le couvercle.

— Ça, par exemple ! s'exclama-t-elle à voix basse, presque avec déférence.

Posé sur le papier de soie, un cœur taillé dans un bloc de cristal scintillait sous la lumière crue de la lampe de bureau. Un presse-papiers. Un cœur en cristal. Etait-ce tout simplement un symbole de ce qu'elle faisait quotidiennement pour soigner ce fragile organe ? Ou bien était-ce le symbole des sentiments qu'un collègue éprouvait pour elle ? Comment le savoir si personne ne se manifestait ? Déjà deux mois depuis le premier cadeau… L'auteur allait forcément finir par se démasquer. A moins que…

A moins que ses intentions ne soient pas si respectables.

— Vous n'avez rien d'autre à faire que de perdre votre temps à déguster un café, mademoiselle Barone ?

Rita sursauta. Non pas à cause de la question elle-même — bien qu'elle soit particulièrement injuste —, mais plutôt parce que la voix était celle du Dr Grayson.

En dehors de ses talents de chirurgien et de la sûreté de son diagnostic, Matthew Grayson était aussi célèbre pour sa parfaite intolérance envers tout ce qui touchait de près ou de loin à l'ombre d'une distraction.

La trentaine athlétique, grand, distant et atrocement sérieux, pour ne pas dire lugubre, c'est ainsi que l'ensemble du personnel hospitalier, infirmières et médecins confondus, décrivait le Dr Grayson. La plupart fuyaient cet homme autour duquel semblaient toujours planer des nuages sombres et menaçants, annonciateurs d'orages.

Etrangement, Rita, elle, n'avait aucune envie de s'enfuir à son approche. Bien au contraire. En fait, elle le trouvait plutôt fascinant. A sa connaissance, personne ne naissait ronchon et distant. Alors, forcément, il y avait une explication. Et la jeune infirmière ne pouvait s'empêcher de s'interroger sur ce qui avait bien pu arriver à Matthew Grayson pour le rendre aussi farouche et glacial à l'égard de ses condisciples. Probablement quelque chose en rapport avec les cicatrices qui marquaient le côté gauche de son visage et de son cou. Trois fins sillons parallèles qui s'étiraient le long de sa mâchoire jusque sous son col de chemise.

Machinalement, Rita rabattit le couvercle de la boîte qu'elle venait d'ouvrir. Pour elle ne savait quelle raison, elle ne tenait pas à ce que le Dr Grayson sache qu'elle avait un admirateur secret — si, bien sûr, l'admiration avait quoi que ce soit à voir avec ces présents anonymes. Aussi discrètement que possible, elle remit la boîte dans sa corbeille à courrier, et jeta le papier blanc et le ruban dans la poubelle sous la table. Puis, lentement, elle se tourna sur sa chaise pour faire face au médecin. Pas question de donner à ce tyran la satisfaction de la voir bondir sur ses pieds pour se mettre au garde-à-vous.

Grave erreur, réalisa-t-elle immédiatement. Assise face à la haute stature de Matthew Grayson, elle se sentait soudain minuscule et terriblement vulnérable.

— Bonsoir, docteur, déclara-t-elle aussi brusquement qu'elle se leva. Je ne vous avais pas entendu entrer.

— C'est ce que je vois, répondit-il, ironique.

— Mais je tiens à préciser que vous faites erreur.

Grayson posa un regard gris éloquent sur le gobelet encore fumant.

— C'est vrai, j'allais prendre un café, concéda Rita. Mais le déguster, certainement pas ! Ce café est en provenance directe du distributeur de la salle d'attente, précisa-t-elle avec une grimace désabusée qui en disait long.

Naturellement, Grayson ne saisit pas l'allusion, car il lui jeta un regard sévère. Et même en tenant compte du fait que cet homme avait des yeux de rêve et une bouche naturellement sensuelle, c'était un regard vraiment glacial, fut bien forcée de constater Rita. Il n'avait décidément aucun sens de l'humour. Pas question cependant de se laisser traiter comme une gamine prise en faute !

Alors, elle contre-attaqua en lui décochant son plus charmant sourire, parfaitement consciente de le mettre mal à l'aise. Sans doute parce qu'il était lui-même incapable de lui retourner un sourire, se dit-elle. Et conformément à ce qu'elle supposait — et à sa réputation — le Dr Grayson ne fit que se renfrogner davantage.

Triomphante, Rita renforça la contre-attaque. Elle élargit son sourire et battit des cils. Mais au lieu de rendre les armes devant cet assaut de charme et de malice, son adversaire n'en parut que plus féroce.

Dépitée, la jeune femme jugea préférable de ne pas le provoquer plus avant. Avec un imperceptible soupir, elle pinça les lèvres et reprit son sérieux.

Un point pour Grayson.

— Rita, dit-il brusquement d'une voix qui se voulait bizarrement conciliante cette fois. Un nouveau patient vient d'être admis en cardiologie. Il devrait arriver d'une minute à l'autre. Il s'agit de M. Harold Asgaard. Il est prévu pour le bloc opératoire à la première heure, demain matin. Je souhaiterais qu'il soit mis sous sédatif léger et constamment surveillé pendant la nuit.

— Bien, docteur. Je vais m'en occuper.

— Parfait.

— Autre chose ? demanda Rita, surprise qu'il n'ajoutât rien.

Elle trouvait en effet étrange que le Dr Grayson soit venu la voir simplement pour lui rappeler la procédure normale à suivre pour n'importe quel patient à la veille d'une importante intervention chirurgicale.

Il jeta un rapide coup d'œil sur les papiers qu'il tenait à la main, puis secoua la tête.

— Non. Je crois que c'est tout pour le moment. C'est vous qui êtes de garde, cette nuit ? demanda-t-il, formulant une évidence, tout en continuant à feuilleter ses dossiers comme s'il n'osait croiser le regard de la jeune femme.

— Hum, oui, répondit celle-ci.

— Vous remplacez Nancy ?

— Rosemary, rectifia Rita. Son arrière-grand-mère fête ses cent ans, ce soir. Alors, elle et moi, nous nous sommes arrangées. Quant à Nancy, elle a été mutée en pédiatrie, la semaine dernière.

Grayson hocha la tête, sans décoller les yeux de ses papiers. Il évitait toujours le regard de son interlocutrice.

— C'est vrai, dit-il d'une voix songeuse. J'avais oublié.

Rita le dévisagea d'un œil intrigué. Cela ne ressemblait pas à Matthew Grayson d'oublier quelque chose. Et ce n'était vraiment pas son genre de baisser les yeux devant qui que ce soit, à plus forte raison devant une jeune infirmière. Qu'est-ce qui n'allait pas, aujourd'hui ? Il semblait… soucieux.

— Tout va bien docteur ? demanda-t-elle spontanément, sans réfléchir. On dirait que quelque chose vous tracasse.

Le regard gris vert plongea brusquement dans le sien. Et ce n'est qu'à cet instant qu'elle réalisa avec quelle familiarité elle venait de lui parler. Le règlement de l'hôpital n'avait rien contre. En revanche, le Dr Grayson, *si*. Dès son arrivée, il avait clairement fait comprendre qu'il n'était pas le genre de collègue avec qui on pouvait discuter de choses personnelles et encore moins se montrer familier.

Rita se mordit la lèvre. Une fois de plus, elle n'avait pas su tenir sa langue. Typique du tempérament latin des Barone. Chez eux, aucun sujet n'était tabou. On parlait de tout, même des affaires personnelles.

— Qu'est-ce qui vous fait penser que quelque chose me tracasse, mademoiselle Barone ? demanda Matthew Grayson d'une voix dangereusement calme.

— Heu… rien. Rien en particulier. C'est seulement que… vous savez… enfin, vous… vous n'êtes pas comme d'habitude.

— Tiens donc ! Et comment suis-je censé être d'habitude ?

— Heu… Je… Ce que je voulais dire… c'est que…, bredouilla une nouvelle fois Rita cherchant désespérément une issue de secours.

— Laissez-moi vous rassurer mademoiselle Barone, tout va très bien, dit enfin Grayson la sauvant du désastre, sans oublier pour autant de la remettre à sa place en ajoutant sèchement :

— Bien que ce ne soit pas vos affaires.

« Deuxième point pour Grayson », conclut silencieusement la jeune femme.

Elle se mordit la lèvre pour ne pas lui répliquer vertement et lui dire ce qu'elle pensait de son comportement de sauvage. Momentanément elle baissa les yeux, le temps de se ressaisir. Mais quand elle les releva, elle vit qu'il la dévisageait fixement. Plus précisément, il la considérait froidement, en se caressant le menton à la manière d'un thérapeute jaugeant le problème d'un patient. En fait, il regardait sa bouche, réalisa-t-elle subitement. Il regardait ses lèvres qu'elle mordait nerveusement et…

… Seigneur, il devait la croire complètement névrosée !

Immédiatement, elle redressa le menton avec défi.

— Désolée, dit-elle — bien qu'il n'y eut aucune trace d'excuse dans sa voix. Je ne voulais pas me montrer indiscrète.

— Vraiment ?

Rita hocha la tête. Grayson n'avait aucune raison d'en douter. D'ailleurs, pourquoi aurait-elle voulu mettre son nez dans sa vie ? Simplement parce qu'elle était curieuse de connaître les raisons de son sale caractère ? Simplement parce que depuis le premier jour de son arrivée en cardiologie, elle brûlait de mieux le connaître, de savoir ce qui avait provoqué ces cicatrices ? Simplement parce que cet homme, avec ses yeux de rêve et l'aura de mystère qui l'entourait, la fascinait littéralement ?

« Ressaisis-toi, Rita » s'exhorta-t-elle silencieusement. Ces yeux qu'elle trouvait si séduisants appartenaient au Dr Grayson, spécialiste de renommée mondiale en chirurgie cardiaque, dépourvu d'humour, à la personnalité aussi austère et glaciale qu'un désert de Sibérie Centrale. Bref, pas du tout son type d'homme. A supposer qu'elle ait un type d'homme, corrigea-t-elle d'elle-même. En tout cas, si elle devait en avoir un, ce ne serait certainement pas Matthew Grayson.

Même s'il avait décidément des yeux magnifiques.

— Je m'en voudrais, docteur, de vous avoir paru indiscrète. Je m'inquiétais seulement pour vous, voilà tout, précisa-t-elle en soutenant le regard vert inquisiteur.

Grayson continua de la dévisager un moment. Suffisamment longtemps pour que Rita finisse par s'inquiéter de ce qu'il pouvait bien penser d'elle. Puis, sèchement, il déclara d'un ton qui signifiait que l'entretien était clos :

— Il est parfaitement inutile que vous vous fassiez du souci pour moi, mademoiselle Barone.

Et sans lui laisser une chance de répliquer, il tourna les talons et sortit du bureau.

« Troisième point pour Grayson », ragea silencieusement la jeune femme en retournant s'asseoir sur sa chaise.

Malheureusement, Rita avait un défaut. Comme tous les Barone, elle supportait difficilement de ne pas avoir le dernier mot. Et ce, quel que soit le nombre de points marqués par l'adversaire. Alors, jetant un coup d'œil par-dessus son épaule, elle lança un ultime missile sur l'ennemi dont la haute silhouette disparaissait déjà à l'angle du couloir hors de portée de voix.

— Espèce de monstre ! marmonna-t-elle entre ses dents.
Etrangement, elle ne se sentit pas mieux pour autant.

Matthew Grayson se réfugia dans son bureau, dans l'aile ouest de l'hôpital. Il se laissa choir dans son fauteuil, prit une bouffée d'oxygène salutaire, et s'efforça de respirer calmement, normalement, afin de calmer le rythme accéléré de son cœur. Puis, il se traita d'imbécile.

Cette fois, il s'en était fallu de peu que Rita Barone ne le démasque. Lorsqu'elle avait quitté le bureau des infirmières, il avait cru qu'elle s'absentait un peu plus de deux ou trois minutes. Aussi avait-il pris tout son temps pour sortir le petit paquet de sa poche et le poser dans la corbeille à courrier. Sans compter qu'il avait dû attendre que les deux aides-soignantes aient fini leur service. Il ne pouvait courir le risque d'être vu.

Il avait à peine eu le temps de déposer son cadeau qu'elle était déjà de retour. Une chance pour lui qu'elle ait eu un gobelet rempli de café dans les mains l'obligeant à marcher doucement, attentive à ne pas en faire tomber une goutte. Si elle avait levé les yeux ne serait-ce qu'une fraction de seconde, elle l'eût aperçu, et elle n'aurait eu aucun mal à deviner qui était l'auteur des mystérieux présents de ces deux derniers mois.

Bon sang, il se conduisait vraiment comme un triple idiot ! Trente-trois ans, l'un des chirurgiens les plus réputés de Nouvelle-Angleterre, descendant de l'une des plus vieilles familles bostoniennes, et voilà qu'il se comportait comme un collégien, jouant à cache-cache pour déposer des petits cadeaux dans le casier d'une fille.

Ma parole, il était devenu complètement fou !

Exact. Il était fou.

Fou de Rita Barone.

Le « monstre » — il n'était pas sourd, il connaissait le surnom dont l'avait affublé le personnel de l'hôpital — avait le béguin pour une infirmière.

Mais pas n'importe laquelle. C'était une jeune et jolie infirmière au regard brun pétillant de vivacité. Une infirmière qui serait probablement choquée, voire dégoûtée, si par hasard elle découvrait l'identité de celui qui l'adorait en secret.

Délicatement, il suivit du bout des doigts les cicatrices qui creusaient sa joue gauche. Des cicatrices que même les techniques les plus élaborées de chirurgie plastique aux mains des praticiens les plus talentueux, n'avaient pu réussir à effacer. Sur ses épaules, les plus profondes avaient atteint l'os. Au cours des vingt dernières années, Matthew était passé de nombreuses fois sur la table d'opération.

Compte tenu de la brutalité de l'attaque et de l'importance des dégâts, le résultat était plutôt bon. Physiquement, les cicatrices laissées étaient relativement superficielles.

Psychologiquement, cependant…

Les blessures l'avaient atteint bien au-delà de sa chair, bien plus profondément. Et celles-là étaient irréparables. Bien qu'il fût parfaitement conscient que la perfection absolue n'existait pas, Matthew jugeait cependant repoussante l'imperfection dont il souffrait. Il lui était par conséquent impossible d'imaginer qu'une fille comme Rita Barone — elle qui était à ce point proche de la beauté parfaite — puisse vouloir tisser des liens avec un homme comme lui.

Posant les coudes sur son bureau, il prit sa tête entre ses mains et ferma les yeux, s'efforçant de penser à autre chose. Il avait depuis longtemps compris que son plus grand ennemi était l'apitoiement sur son propre sort. Qu'il lui permette une seconde de s'infiltrer dans ses pensées, et il s'emparait de son organisme entier. C'était comme l'héroïne ou quelque terrible virus qui se multipliait et le laissait anéanti, ne désirant plus que se cacher, ne désirant plus que mourir. Et la seule façon de le tenir à distance, c'était de feindre l'indifférence, comme si ces cicatrices n'étaient qu'un simple « désagrément ».

Avec un soupir, il rouvrit les yeux et l'image de Rita s'imposa de nouveau. Elle occupait sans arrêt ses pensées… sa silhouette gracieuse, l'éclat de son teint mat, la douceur de ses immenses yeux noirs, et sa bouche sensuelle. Il ne pouvait s'empêcher de revoir la façon dont elle s'était mordillé la lèvre. Et puis, surtout, il ne pouvait s'empêcher de ressentir cette vague de chaleur qui irradiait dans tout son corps dès qu'il songeait à la jeune femme. Il entendait encore son léger soupir et son respectueux « Ça, par exemple ! » quand elle avait ouvert la boîte et découvert le cœur en cristal. Il s'était alors senti envahi par une sorte de sérénité et de douceur jamais éprouvées par le passé.

Elle avait apprécié son cadeau. Tout comme elle avait apprécié la broche et le bracelet qu'elle portait quotidiennement. D'une certaine façon, il avait ainsi l'impression que c'était une part de lui-même qui l'accompagnait partout où elle allait. Et cela emplissait Matthew d'un sentiment de joie. Sentiment rarissime qui lui échappait trop souvent.

Il y avait cependant quelque chose qui ne tournait pas rond chez lui. Comment pouvait-il éprouver de la joie — une joie coupable qui plus est — à tenir secret un amour qui ne serait jamais payé de retour.

Non. Il ne s'agissait pas d'amour ! réagit-il brusquement en redressant la tête et en posant ses mains bien à plat sur le bureau. Il n'était pas amoureux de Rita Barone. Ce ne pouvait être ça !

Il balaya du regard les diplômes et les diverses récompenses accrochés au mur qui lui faisait face. Il suffisait d'entrer dans cette pièce pour comprendre qu'il n'était pas du tout le genre d'homme à avoir le béguin pour une femme aussi jolie soit-elle.

Il était bien trop raisonnable, bien trop sérieux et bien trop pragmatique pour ce genre de fantaisie.

Ce qu'il prenait pour de l'amour n'était en réalité que de l'admiration, conclut-il. Il admirait cette fille. Il admirait son côté professionnel, voilà tout. Après tout, il n'y avait pas de mal à admirer une collègue de travail. Pas plus qu'il n'y avait de mal à être incapable d'exprimer verbalement cette admiration. Il n'était certainement pas le seul homme dans ce cas. De toute façon, il n'était pas du style à s'épancher. Pas plus qu'aucun Grayson, d'ailleurs.

Il admirait Rita Barone, se répéta-t-il une nouvelle fois plus fermement.

En réalité, c'était son dévouement qui le fascinait, et cette façon qu'elle avait de communiquer avec les malades et d'apaiser leurs craintes. Par exemple, en février dernier avec Joe, le sans-abri. Après l'avoir rassuré, elle était restée près de lui pendant toute la durée de l'intervention. Et si par la suite le vieil homme s'était totalement rétabli, c'était en grande partie grâce à elle.

La gentillesse et la patience de la jeune infirmière avaient littéralement émerveillé Matthew. Il l'avait enviée pour ce don qu'elle avait de se lier aussi facilement avec les autres, alors que c'était si difficile pour lui. Toute sa vie, il y avait eu une barrière entre lui et les autres. Bien entendu, il y avait une raison évidente à cela : les cicatrices qui le défiguraient. Mais cela n'empêchait pas Matthew de se sentir terriblement frustré. C'est la raison pour laquelle il avait été si fortement ému par le tact et la tendresse dont Rita avait su faire preuve avec le vieux Joe.

Dès le lendemain, il avait voulu lui faire savoir combien il avait apprécié son aide et sa compétence. Et comme il ne savait pas comment exprimer ce genre de choses, il avait choisi de lui témoigner sa gratitude en déposant un simple souvenir dans sa corbeille à courrier. En apercevant la broche dans la boutique de l'hôpital, il s'était dit que ce serait particulièrement approprié. Il avait bien sûr rédigé un petit mot de remerciement. Malheureusement, sa journée de travail avait été tellement chargée qu'il avait complètement oublié de le joindre au cadeau. Tout comme il avait oublié que c'était la Saint-Valentin.

Ce n'est que plus tard, quand avaient commencé à circuler les rumeurs autour du soupirant anonyme de Rita Barone, qu'il avait réalisé son étourderie. A ce stade, il n'était plus question pour lui de prendre le risque de se retrouver catalogué sous l'étiquette de l'amoureux transi. Tout l'hôpital se serait moqué de lui. Et Matthew *détestait* qu'on se moque de lui. Il avait pour cela aussi de bonnes raisons dont tout le monde se fichait éperdument. Alors, il avait froissé son petit mot à l'attention de Rita, et choisi de se taire.

Evidemment, ça ne justifiait pas cette pulsion qui l'avait poussé à lui offrir un deuxième cadeau le mois suivant pour ses vingt-cinq ans, et pour finir un troisième présent, ce soir même, pour marquer la date anniversaire de son entrée à l'hôpital trois ans plus tôt. D'ailleurs, ça n'expliquait pas pourquoi il connaissait ces dates. Et ça n'expliquait pas non plus pourquoi il avait choisi de rester dans l'anonymat. En fait, ce qui aurait pu l'expliquer, c'était…

Bon sang, il n'avait aucune explication !

Il avait certainement mieux à faire que se tourmenter pour une infirmière aux yeux bruns qui le rendait dingue. Il lui restait encore un tas de mises au point de dernière minute à faire avant l'opération du lendemain matin, alors il ferait bien de se mettre au travail au lieu de fantasmer sur une collègue de travail.

De toute façon, Rita Barone était bien trop jeune et bien trop jolie pour s'intéresser à un gars défiguré de huit ans son aîné.

Et puis, même… A supposer qu'un lien puisse se tisser entre eux — hypothèse hautement improbable — ses parents ne manqueraient pas de lui rappeler qu'il était un *Grayson*.

Il était en effet le descendant d'une des plus vieilles familles bostoniennes. Quatre siècles plus tôt, ses ancêtres, de riches aristocrates anglais, avaient été les premiers à poser le pied sur le nouveau continent après avoir traversé l'Atlantique à bord du *Mayflower*. Tandis que les Barone, eux, avaient débarqué pauvres comme Job de l'entrepont d'un obscur cargo en provenance d'Italie dans les années trente, avant de faire fortune en vendant des glaces italiennes — commerce des plus frivoles s'il en est. Tout le contraire des Grayson, respectables banquiers de père en fils jusqu'à ce que lui soit le premier à rompre avec la tradition familiale en choisissant la médecine.

Non, inutile de rêver, il y avait trop de choses qui ne pourraient jamais coller entre un Grayson et une Rita Barone. Une telle alliance ferait scandale.

Alors, il allait immédiatement cesser de se torturer l'esprit.

Et il allait arrêter de penser aux immenses yeux noirs de Rita.

2.

Il était un peu plus de 2 heures du matin quand Rita rentra chez elle. Elle habitait avec sa sœur Maria un vieil immeuble en briques de quatre étages dans la banlieue nord de Boston, à une demi-heure à pied de l'hôpital.

Leur sœur aînée, Gina, avait déménagé le mois précédent, la veille de son mariage avec Flint Kingman. L'appartement qu'elle avait occupé jusqu'alors au dernier étage était donc libre dans l'attente d'un futur locataire qui n'avait toujours pas été déniché.

Rita ouvrit la porte.

Le silence et la pénombre l'accueillirent.

A l'évidence, Maria était encore sortie.

Ces derniers temps, sa sœur était un vrai courant d'air, s'étonna Rita en refermant la porte derrière elle. Bizarre… Pour autant qu'elle sache, Maria, de dix-huit mois sa cadette, n'avait pas de petit ami attitré, et son poste de gérante des deux salons de thé *Baronessa* que comptait la ville de Boston, ne lui laissait guère le loisir de se tisser un réseau de relations sociales extra-professionnelles. Il y avait forcément anguille sous roche…

Elle grimpa au premier étage. Le palier s'ouvrait directement sur une vaste pièce qui faisait office de salon commun. Avec ses carpettes mexicaines couvrant le plancher, sa profusion de plantes vertes, ses tables basses et ses canapés beiges agrémentés de coussins colorés, la pièce invitait à la flânerie et au bavardage. Pour l'instant, elle était déserte. Une paire de tennis abandonnées dans un coin et une veste négligemment jetée sur un accoudoir témoignaient cependant du passage récent de l'une des occupantes.

Pensive, Rita grimpa deux étages supplémentaires et ouvrit la porte de son appartement. Elle s'arrêta sur le seuil, le temps d'ôter son imperméable dégoulinant de pluie et de passer les doigts dans ses cheveux humides. Malgré l'heure tardive et les trombes d'eau, elle était rentrée à pied depuis l'hôpital. Le quartier était sûr et la marche lui permettait de décompresser. Les heures passées auprès des malades étaient parfois éprouvantes pour les nerfs.

Après s'être séché les cheveux avec une serviette, elle se rendit dans la cuisine pour se préparer un chocolat, histoire de se réchauffer avant de se mettre au lit.

Une demi-heure plus tard, comme elle s'apprêtait à éteindre sa lampe de chevet, elle entendit Maria rentrer.

Repoussant ses couvertures, Rita se précipita sur la pointe des pieds vers la porte d'entrée, l'oreille aux aguets afin de s'assurer avant d'ouvrir que sa sœur n'était pas accompagnée. Ce n'était pas tant par souci de surprendre Maria en galante compagnie que par peur d'être elle-même surprise en pyjama.

N'ayant détecté aucun bruit de pas autres que ceux de sa sœur, Rita sortit de son appartement et se pencha par-dessus la rampe de la cage d'escalier.

— Salut, toi ! Où étais-tu donc passée ?

Nullement surprise par l'injonction, Maria rejeta la tête en arrière et lui sourit. Ses cheveux bruns cascadaient sur ses épaules, et ses yeux noirs étincelaient même dans la lueur diffuse de l'éclairage du palier.

— Salut ! dit-elle doucement, plus par habitude que par réel souci de déranger quelqu'un puisqu'elles étaient les seules occupantes des lieux. Et toi, que fais-tu debout à cette heure ? demanda-t-elle à son tour au lieu de répondre à la question posée par Rita.

Cette dernière hésita une seconde avant de confier d'une voix ennuyée :

— J'ai reçu un autre cadeau anonyme pendant ma garde de nuit.

Aussitôt, le sourire de Maria s'évanouit.

— Seigneur, c'est le troisième, non ?

Rita acquiesça.

— Et tu n'as toujours aucune idée de l'identité de celui qui te les offre ?

Rita secoua lentement la tête.

— Pas plus que je ne sais pourquoi, soupira-t-elle.

— Bon. Laisse-moi le temps de poser mon sac et je te rejoins, déclara Maria.

Quelques minutes plus tard, elle se laissait tomber sur un divan recouvert de chintz que Rita avait récemment déniché aux puces.

— Alors comme ça, tu n'as toujours pas réussi à apercevoir ton mystérieux adorateur ?

Assise en tailleur sur le tapis face à elle, Rita confirma avec une grimace inquiète.

— Tu sais, cette histoire commence vraiment à me faire froid dans le dos. Je me demande qui peut bien s'amuser à m'offrir des cadeaux anonymes. Et surtout, pourquoi ?

— Que te dit ton intuition ?

Rita réfléchit un instant.

— Elle ne me dit rien du tout, avoua-t-elle. Cependant, quelque part au fond de moi, j'ai l'impression que l'inconnu qui fait ça agit simplement par timidité. Il a peut-être peur que je le repousse. Mais, d'un autre côté…

— Mais quoi… ?

Rita croisa le regard attentif de sa sœur.

— Peut-être n'est-il pas aussi timide qu'il y paraît, chuchota-t-elle enfin. Il pourrait être…

Le mot restait bloqué dans sa gorge.

— Un pervers, un détraqué ?

Maria, elle, avait osé le dire à voix haute. Rita sentit ses cheveux se dresser sur sa nuque.

— Oui, je suppose… Quelqu'un dans ce genre-là, marmonna-t-elle.

Maria la dévisagea un moment, l'air perplexe.

— Je ne sais pas, finit-elle par dire. Sans doute vais-je te paraître fleur bleue, mais je suis prête à parier pour ta première intuition. Un amoureux qui n'ose se déclarer. Car si on y réfléchit bien, les maniaques ont généralement tendance à s'approcher de la maison de leur victime. Or, ça ne semble pas être le cas. Au fait, quel est le cadeau, cette fois ? A moins que ce ne soit un animal décapité ou une Barbie démembrée, je ne crois pas qu'il y ait lieu de se faire autant de souci.

Avec un soupir, Rita se leva pour aller chercher la boîte restée dans son sac à main. Elle la tendit à sa sœur.

— Tu es sûre que je ne vais pas trouver la tête d'un poisson rouge ? plaisanta celle-ci.

— Maria, je t'en prie, sois sérieuse, gémit Rita.

— D'accord, d'accord. J'arrête avec mes plaisanteries idiotes. Je voulais seulement détendre l'atmosphère.

Rita lui lança un regard de reproche.

— Parler de décapitation n'y contribue pas vraiment.

— Excuse-moi, sœurette. Il est vrai qu'à cette heure tardive, je manque un peu d'imagination, gloussa Maria tout en soulevant le couvercle de la boîte. Whaouh… Quelle merveille !

Elle sortit délicatement le fragile cœur en cristal de son écrin de papier de soie.

— D'un point de vue purement esthétique, tout à fait d'accord avec toi, concéda Rita. Mais, ce qui m'intéresse avant tout, c'est de savoir si cet objet est uniquement en rapport avec mon métier ou s'il symbolise les sentiments qu'un inconnu éprouve pour moi. Qu'en penses-tu ?

— Mince alors, ce cristal sort des ateliers Waterford ! s'exclama Maria sans tenir compte de la question. Nous tenons enfin deux indices. Primo, ton mystérieux soupirant a bon goût. Secundo, il n'est pas dans le besoin.

— Tu veux rire ! Et d'ailleurs, qu'est-ce qui te permet d'affirmer que c'est un Waterford ? demanda Rita intriguée, en se penchant sur l'objet que sa sœur tenait entre ses mains.

— Le petit hippocampe gravé sur le dessous, répondit celle-ci en désignant du doigt le logo discrètement ciselé. Tu le vois ?

Rita se pencha sur le cœur.

La marque du célèbre verrier d'art dont les œuvres étaient réputées hors de prix était effectivement bien visible. En revanche, ce qui l'était moins à ses yeux, c'est pourquoi, son soupirant anonyme avait dépensé autant d'argent cette fois-ci. Le premier cadeau ne coûtait que dix dollars. Rita avait en effet aperçu le petit cœur dans la boutique de souvenirs de l'hôpital. Et le bracelet, pour autant qu'elle pût en juger, n'était qu'une charmante babiole qui ne devait guère coûter plus. Par contre, ce dernier bibelot avait coûté une petite fortune. Alors, pourquoi cette soudaine escalade dans les prix ?

— Récapitulons, le premier, c'était pour la Saint-Valentin, reprit Maria tout en admirant le cœur en cristal. Et le deuxième…

Elle poussa un cri.

— Incroyable ! Pourquoi n'y ai-je pas pensé plus tôt ? La Saint-Valentin. La malédiction des Barone. Pas de doute, elle vient de frapper de nouveau. Mon Dieu, cette fois, c'est toi qui es visée !

Rita leva les yeux au ciel et laissa échapper un soupir exaspéré en se demandant si sa sœur n'était pas devenue folle.

Bien sûr, comme tous les Barone, elle avait entendu parler de la malédiction lancée par Lucia Conti sur leur famille, deux générations plus tôt. Mais elle se refusait à prendre au sérieux de telles sornettes, même si la majorité des Barone y croyaient dur comme fer, en bons Italiens amateurs de superstitions.

Quand Marco Barone — son grand-père, le fondateur de *Baronessa* — avait émigré de la Sicile vers les Etats-Unis dans les années trente, il avait d'abord commencé à travailler comme serveur au « Conti », un restaurant sur Prince Street tenu par des amis de ses parents, siciliens comme eux. Les Conti avaient une fille, Lucia, qui, disait-on, adorait Marco. Entre les deux familles, il semblait avoir toujours été convenu que Lucia et Marco se marieraient. Malheureusement, le jeune Sicilien croisa la belle Angelica Salvo qui travaillait également chez les Conti, et dont il tomba éperdument amoureux. Le jour de leurs noces — jour de la Saint-Valentin — la légende voulait que Lucia ait lancé une malédiction sur le couple et sa descendance. « Que cette date soit maudite à tout jamais pour vous et tous les Barone à naître ! »

Naturellement, chaque année, la Saint-Valentin ne s'était pas soldée par une catastrophe chez les Barone. Ce jour avait cependant été marqué par quelques tragédies. Ainsi, l'année suivant son mariage, Angelica fit une fausse couche le soir même de la Saint-Valentin. Quelques années après, toujours à cette même date, le couple maudit perdit de nouveau un enfant. Angelica venait d'accoucher de jumeaux lorsque l'un d'eux fut enlevé dans la pouponnière de l'hôpital. Jamais personne ne le revit. Enfin, plus récemment, la Saint-Valentin fut couronnée par l'effondrement du cours de l'action des *Baronessa*. Une catastrophe financière sans précédent pour le groupe. Le jour de la débâcle, la direction avait en effet organisé une soirée de gala à l'occasion du lancement d'une nouvelle glace aux fruits de la passion. De nombreuses personnalités du monde des arts, de la politique et de la finance étaient présentes. Malheureusement, quelques minutes avant le début des festivités, un individu mal intentionné avait réussi à accéder aux réserves de glaces et à y incorporer un concentré de piment, si bien que tous les illustres invités qui eurent le malheur de porter une cuillère de glace à leur bouche — et Dieu sait qu'ils étaient nombreux — rentrèrent chez eux précipitamment, le palais en feu. Pire, l'un d'eux, un critique gastronomique réputé, avait failli succomber à un choc allergique. Un véritable cauchemar pour le service des relations publiques. Pour preuve, même le talent de Gina, en tant que responsable de la communication du groupe *Baronessa*, avait eu bien du mal à endiguer le flot des critiques. Les Barone avaient alors été forcés de faire appel à un spécialiste extérieur en communication afin de redorer l'image de la compagnie. Aujourd'hui encore, les répercussions de cet acte de malveillance se faisaient durement ressentir.

Pour finir, Gina avait épousé le fameux spécialiste en communication, Flint Kingman. Ce qui, à bien y réfléchir, représentait en quelque sorte un pied de nez à la malédiction, se dit Rita, même si elle n'y croyait pas.

— Bon, récapitulons. Le premier cadeau a atterri dans ta corbeille pour la Saint-Valentin, reprit Maria. Et le second, le jour de ton anniversaire. Deux occasions très spéciales. Mais aujourd'hui…

Elle s'interrompit et fronça les sourcils dans un visible effort de réflexion.

— Aujourd'hui, il y a exactement trois ans que je suis entrée comme infirmière au Boston General Hospital, précisa Rita, l'air sombre. Encore une sorte d'anniversaire. La personne qui s'obstine à déposer des petits paquets dans ma corbeille à courrier connaît exactement ma date d'embauche.

— Tu ne pouvais pas le dire plus tôt ! Voilà qui réduit considérablement le champ de nos recherches, s'exclama Maria, triomphante. C'est donc quelqu'un qui travaille à l'hôpital.

Rita leva les yeux au ciel.

— Bravo, Sherlock Holmes ! Il ne nous reste guère plus qu'un petit millier de candidats.

— C'est forcément quelqu'un que tu côtoies régulièrement, insista Maria, indifférente au sarcasme. Quelqu'un qui travaille en cardiologie.

— Je te rappelle que j'ai débuté aux urgences et que je suis également passée par le service de pédiatrie avant d'obtenir ce poste en cardiologie.

— Ça ne fait rien. Je suis prête à parier que ton mystérieux soupirant travaille dans le même service que toi puisque c'est là que les cadeaux atterrissent.

— Oui, mais ça ne nous donne pas son identité, maugréa Rita. Il reste encore une bonne vingtaine de concurrents en lice.

Maria la dévisagea un instant avant de déclarer, l'air songeur :

— En tout cas, je trouve cette histoire absolument charmante et tellement romantique !

— Romantique ? répéta Rita, étonnée d'entendre cette épithète sortir de la bouche d'une fille diplômée de la prestigieuse université de Harvard et qui ne songeait qu'à sa carrière professionnelle. Depuis quand verses-tu dans le romantisme ?

La question fit rougir Maria.

Rita s'en étonna tandis que sa sœur protestait un peu trop vivement :

— Je ne suis pas romantique — quelque chose dans son ton suggérait pourtant le contraire. Simplement, je n'arrive pas à croire que ces cadeaux soient l'œuvre d'un déséquilibré. Je parierai plutôt pour un gars qui a le béguin pour toi.

Rita fronça les sourcils.

— Maria, dit-elle d'une voix patiente. Ce sont les collégiens qui ont le béguin, pas les hommes d'âge mûr.

— Bien sûr que si ! objecta Maria. Et parfois même, ce sont ceux qui paraissent les plus costauds et les plus indifférents qui sont en fin de compte les plus sensibles.

Qu'il était bon d'avoir toutes ses illusions, songea Rita avec un sourire amusé. A vingt-cinq ans, elle estimait en savoir un peu plus que sa cadette, surtout après son passage aux urgences du Boston General Hospital. Là, elle avait vu défiler sous ses yeux tout ce que comptait l'humanité. Et Dieu sait qu'elle n'avait jamais repéré de grands gaillards susceptibles de jouer les amoureux transis en secret. En revanche, des détraqués, ça oui, elle en avait vu !

Pourtant, son intuition lui soufflait que la situation n'était pas aussi menaçante qu'elle voulait bien le croire. En fait, Rita était quasi certaine que celui qui offrait secrètement ces présents ne le faisait pas dans une mauvaise intention.

Malheureusement, impossible d'en être sûre à cent pour cent.

— En tout cas, je ne sais vraiment pas quoi faire, conclut-elle. Qu'il s'agisse d'un dangereux psychopathe ou non, je déteste recevoir des cadeaux anonymes.

— Tu te fais du souci pour rien, décréta Maria, péremptoire, tout en replaçant soigneusement le cœur en cristal dans sa boîte. Cependant, il existe peut-être un moyen d'aider ton mystérieux adorateur à se démasquer. Si tu t'abstiens de porter la broche et le bracelet qu'il t'a offerts, il y a de fortes chances pour qu'il soit le premier à t'en faire la remarque.

— Bonne idée, approuva Rita.

— Au fait, si tu ne sais pas quoi faire de ce ravissant bibelot, je suis preneuse, ajouta négligemment Maria avec un sourire entendu.

Rita lui retourna son sourire, mais lui retira la boîte.

— Je le garde, déclara-t-elle en posant une main possessive sur le couvercle.

Elle ne savait pas très bien pourquoi elle désirait le garder. Pas plus qu'elle ne savait pourquoi elle portait chaque jour la broche et le bracelet. Sans doute, inconsciemment, voulait-elle croire que celui qui lui offrait ces présents l'admirait réellement… Parce que jusqu'à ce jour, elle n'avait jamais eu le sentiment d'être admirée pour elle-même, ne put-elle s'empêcher de songer avec un léger pincement au cœur.

Bien sûr, comme toutes les filles, elle avait connu les flirts de l'adolescence, mais elle avait très vite appris à ses dépens que certains garçons s'intéressaient à elle uniquement parce qu'elle était l'une des riches filles Barone. Il fut une époque où elle était allée de désillusion en désillusion. Alors, elle était devenue méfiante. Et sa méfiance s'était encore accrue après son vingt et unième anniversaire quand elle avait reçu son million de dollars.

En tout cas, Rita était sûre d'une chose : si son mystérieux soupirant s'était douté une seconde qu'elle était à la tête d'une telle fortune, il ne serait pas resté dans l'ombre aussi longtemps. Preuve qu'elle pouvait être admirée pour la femme qu'elle était et pas uniquement pour son argent…

Toutefois, elle ne se sentait pas rassurée pour autant. Sa sœur avait peut-être raison quand elle prétendait que les déséquilibrés avaient tendance à suivre leurs victimes jusque chez elles. Et Rita ne pouvait s'empêcher de se demander si l'inconnu connaissait également son adresse. Probablement…

S'il s'agissait d'un collègue de travail, il lui était facile d'avoir accès aux fichiers du personnel sur n'importe quel écran d'ordinateur. Il pouvait aussi l'avoir discrètement suivie jusque chez elle…

Rita sentit son pouls s'accélérer.

« Cesse donc de te faire du cinéma ! » s'exhorta-t-elle silencieusement.

En vain.

Son intuition avait beau lui souffler qu'il n'y avait pas de quoi avoir peur, Rita ne réussissait pas à faire taire son inquiétude.

— Pendant que j'y pense, tu as un cavalier pour vendredi soir ? demanda abruptement Maria comme elle se levait pour partir. Tu te souviens que nous avons une soirée, insista-t-elle de crainte que sa sœur n'ait oublié.

De fait, inconsciemment, Rita avait complètement effacé la soirée de son esprit. Son air effaré vint confirmer les soupçons de Maria.

— Je te rappelle qu'il s'agit d'une réception à laquelle est convié tout le gratin de Boston et des alentours, crut-elle bon de préciser. Une soirée de gala destinée à mettre sur orbite une nouvelle idée de l'éminence grise des relations publiques, brillante moitié de notre chère Gina, et ultime arme pour contre-attaquer l'offensive de presse qui pilonne *Baronessa*. Ne me dis pas que tu as oublié !

— Euh, non… Mais je vais avoir une semaine de travail tellement chargée que je pensais…

Maria fronça les sourcils.

— Rita ! dit-elle du ton qu'aurait pris une mère pour sermonner un bambin récalcitrant. Tu *vas* y aller, n'est-ce pas ? Tous les Barone sans exception seront là afin d'apporter leur soutien aux affaires familiales qui traversent une passe difficile comme chacun sait. Pas question de t'y soustraire. Sinon, tu n'as pas fini d'en entendre parler.

— D'accord, d'accord, je serai là, marmonna Rita en levant les mains en signe de reddition.

— Et tu *dois* absolument arriver au bras d'un cavalier, insista sa sœur sans lui laisser le temps de souffler. Car si tu viens en célibataire, tu n'as pas fini d'en entendre parler non plus !

Fermant les yeux avec un soupir excédé, Rita renversa la tête contre le dossier de sa chaise.

Maria avait raison. La précédente génération des Barone prônait l'explosion démographique et ne se gênait pas pour le faire savoir, particulièrement à ceux de la tribu en âge de se marier et de leur donner des petits-enfants, des petits-neveux et des petites-nièces. Si lors d'une réunion de famille, un jeune Barone avait la mauvaise idée de venir non accompagné, il s'exposait aux commentaires acerbes de la vieille génération qui lui demandait inlassablement comment il comptait s'y prendre pour se marier et avoir des enfants en restant seul.

Naturellement, Rita persistait à ne pas venir accompagnée, et le problème avait pris des proportions épiques. Seule issue, entrer dans les ordres comme l'avait d'abord fait sa sœur, Colleen. La vocation religieuse était la seule excuse pour une si longue absence sociale. Et encore, il ne serait pas facile aujourd'hui de prétendre suivre l'exemple de Colleen dans la mesure où celle-ci avait récemment quitté sa congrégation pour filer le parfait amour !

— Hum, en ce moment…, commença Rita en cherchant vainement ses mots.

— Rita ! intervint de nouveau Maria, toujours avec ce ton d'institutrice d'école maternelle qui avait le don d'agacer ses frères et sœurs. Cette soirée est prévue de longue date. Ne me raconte pas que tu n'as pas encore eu le temps d'inviter un garçon à t'accompagner !

— Bon, j'avoue. Cette fichue réception m'était complètement sortie de l'esprit, répondit Rita, sans chercher à masquer son exaspération.

— Et je parie que tu vas me dire que tu n'as pas de tenue habillée pour la circonstance, je me trompe ?

— Eh bien…

— Je vois…, fit Maria en pinçant les lèvres. Bon, ce lundi, je vais me débrouiller pour me libérer de mes obligations professionnelles un peu plus tôt que d'habitude, et nous irons faire les boutiques ensemble. Ça ne me gêne pas de t'aider à choisir une robe. En revanche, pour ce qui est du cavalier... Il faudra te débrouiller sans moi.

— Promis. Je vais m'en occuper, soupira Rita qui n'avait cependant aucune idée de la façon dont elle allait tenir sa promesse.

La soirée promettait d'être un événement mondain de premier plan. Une soirée cinq étoiles. Pour une telle occasion, il lui fallait un cavalier d'exception. Un homme séduisant. Grand. Distingué. Un homme à l'éducation parfaite. Un homme comme…

Et pour une raison obscure, l'image du Dr Matthew Grayson traversa l'esprit de Rita. Et tout aussi rapidement, la jeune femme l'effaça. Pas question de demander un truc pareil au Dr Grayson. Primo, elle n'oserait jamais l'inviter à sortir avec elle. Secundo, ils n'auraient sans doute rien à se dire et ils passeraient la soirée à se regarder en chiens de faïence. Tertio, elle tremblait rien qu'à l'idée d'entendre sa grand-tante Sandra harceler Grayson en lui demandant quand il comptait faire de sa petite-nièce une femme respectable.

Oh la la ! Plutôt mourir !

— Ne t'inquiète pas, je trouverai quelqu'un, dit-elle à sa sœur autant pour la rassurer que pour se rassurer elle-même.

3.

Matthew ne faisait pas partie de ces médecins qui commencent les visites de leurs patients dès l'aube, avant même que le jour soit levé. D'abord, parce qu'il n'était pas du matin — excepté les jours où il opérait — et, surtout, parce que contrairement à bon nombre de ses confrères, il ne fuyait pas les familles de ses malades. Au contraire, il faisait en sorte de les rencontrer afin de répondre à toutes leurs questions et prendre le temps de les rassurer du mieux possible. Par conséquent, il commençait rarement sa tournée dans les chambres avant 10 heures, et déjeunait plutôt tardivement.

Ce lundi-là ne fit pas exception à la règle, si ce n'est qu'il ne put jamais déjeuner. Ses visites s'étaient prolongées bien au-delà dans l'après-midi pour de multiples raisons, entre autres parce que Mme Harold Asgaard l'avait bombardé d'un nombre de questions nettement supérieur à la moyenne. Il était 15 heures quand il réussit enfin à se libérer. Trop tard pour déjeuner. Il décida donc de passer à la cafétéria en coup de vent pour prendre un café en espérant faire patienter son estomac jusqu'au soir.

Comme à son habitude, une fois son café commandé, il s'installa à l'écart, sur l'un des hauts tabourets à l'extrémité du comptoir. C'est alors qu'il aperçut Rita Barone.

Elle aussi était seule. Assise à une table dans un angle reculé de la vaste salle, un verre de jus de fruits posé devant elle, la jeune femme semblait plongée dans la lecture d'un livre.

Elle portait sa tenue d'infirmière et comme à l'accoutumée, sa chevelure brune était emprisonnée dans une tresse étroitement nattée d'où ne dépassait pas une seule mèche. Il lui arrivait parfois, se souvint Matthew, de porter ses cheveux rassemblés en un savant chignon qui rappelait ceux de Grace Kelly — bien que Rita Barone ne ressemblât en rien à la fragile beauté blonde. Aux yeux de Matthew, la beauté brune de Rita, si délicieusement exotique, était bien plus sensuelle. Quoi qu'il en soit, la jeune femme attachait toujours ses cheveux dans l'enceinte de l'hôpital.

Et une fois de plus, Matthew réalisa, non sans regret, qu'il n'avait jamais eu la chance de la voir habillée en tenue de ville, les cheveux tombant librement sur ses épaules. Il était facile de deviner qu'elle possédait une chevelure magnifique. Mais ses cheveux étaient-ils raides, ondulés, ou bouclés ? Cela, Matthew n'en savait rien. Et subitement, sans qu'il comprît pourquoi, il eut une envie folle de le savoir.

Cependant, ce n'était pas la raison pour laquelle il se dirigeait à présent vers la jeune et jolie infirmière, seule à l'autre bout de la cafétéria. En fait, s'il s'était brusquement décidé à aller la rejoindre, c'était uniquement parce que…

Bon sang, il n'avait aucune raison ! réalisa-t-il après coup avec embarras lorsqu'il s'arrêta près de Rita, sa tasse de café à la main.

Elle leva sur lui un regard étonné.

— Docteur Grayson, dit-elle, une note de surprise dans la voix.

— Rita, répondit-il sur ce ton brusque qui lui était coutumier, et qui masquait en réalité sa gêne quand les infirmières l'appelaient « Dr Grayson » alors même qu'il faisait l'effort de s'adresser à elles par leurs prénoms.

Et en cette seconde précise, il était d'autant plus embarrassé qu'il ne savait vraiment pas ce qu'il lui avait pris de courir ainsi vers Rita Barone.

Manifestement, elle attendait qu'il dise quelque chose. Et Dieu lui vienne en aide, il avait l'esprit totalement vide ! Tout ce dont il était capable, c'était de se perdre dans ses immenses yeux noirs tandis qu'elle continuait à le dévisager, l'air sceptique. Il devait à tout prix se ressaisir… Alors, il dit la première chose qui lui passait par la tête.

— Cette chaise est libre ?

Il n'avait pas plutôt formulé sa question qu'il se maudit intérieurement. Ces simples mots en disaient long sur lui. Premièrement, il fallait être idiot pour oser poser une question dont la réponse était aussi évidente. Deuxièmement, la question était d'une rare banalité, un véritable cliché. Et troisièmement, pire encore, ce genre de question stupide laissait à penser qu'il était peut-être en train de draguer Rita. Car pour quelle autre raison un homme demanderait-il à une femme de s'asseoir à côté d'elle ? Bon sang, quel imbécile !

Rita haussa un sourcil incrédule en jetant un coup d'œil sur la chaise manifestement inoccupée face à elle, puis sur la salle de la cafétéria pratiquement déserte, avant de reporter de nouveau toute son attention sur Matthew Grayson.

— Bien sûr, dit-elle. Je n'attends personne. Asseyez-vous, je vous en prie.

Impossible de faire marche arrière, à présent. Pour le coup, il aurait *vraiment* l'air d'un idiot s'il déclinait l'invitation, réfléchit rapidement Matthew. Il ne lui restait plus qu'à prier pour être capable de rester quelques secondes en présence de Rita Barone sans se sentir aussi nerveux qu'un adolescent à son premier rendez-vous amoureux.

— Merci, réussit-il à marmonner en s'asseyant avec un restant de dignité qui le surprit lui-même.

La jeune femme referma son livre et le regarda, visiblement dans l'expectative d'une explication concernant un comportement aussi inhabituel de sa part.

— Je… Je déteste manger seul, finit-il par préciser.

Alors, Rita lui sourit. Quelque part tout au fond de lui, Matthew ressentit une vibration. Et étrangement, c'était très agréable.

— Vous n'avez pas pris le plateau-repas, lui fit-elle remarquer d'une voix douce où perçait cependant une pointe d'étonnement.

La vibration cessa immédiatement.

— Je déteste tout autant prendre un café seul, répliqua-t-il précipitamment.

« Bravo pour ton exceptionnel esprit de repartie. Un bon point pour toi, Matthew », se fustigea-t-il silencieusement.

Rita le dévisagea un instant, l'air songeuse, comme si elle hésitait à dire ce qu'elle pensait.

— C'est bizarre ce que vous me dites là, observa-t-elle enfin. Parce que je vous ai rarement vu prendre un repas ou un café en compagnie de qui que ce soit.

Il fallut quelques secondes à Matthew pour digérer la nouvelle. Ainsi, Rita Barone avait remarqué sa solitude. Elle faisait donc attention à *lui*. Il avait du mal à y croire.

— C'est vrai, je suis souvent seul, dit-il doucement. Mais cela ne signifie pas pour autant que j'apprécie.

L'aveu surprit Matthew lui-même. Et il fut d'autant plus surpris de découvrir qu'il venait simplement d'énoncer une vérité qu'il se refusait à admettre la plupart du temps, en tâchant de se persuader qu'il était d'un naturel solitaire et qu'il n'avait guère de temps à consacrer à autre chose qu'à son travail.

Rita hocha lentement la tête.

— Dans ce cas, je suis ravie de vous tenir compagnie, déclara-t-elle avec un sourire plein de chaleur.

Cette déclaration si spontanée prit Matthew au dépourvu. Et avant qu'il n'ait eu le temps de méditer sur ses paroles, la jeune femme lui expliquait déjà tout naturellement la raison de sa présence à la cafétéria.

— J'ai terminé mon service, mais j'attends ma sœur, Maria. Elle est censée me retrouver ici à 15 h 30 pour m'emmener faire les magasins.

Elle prononça ce dernier mot comme s'il s'agissait d'une cruelle punition.

Matthew ne put réprimer un sourire.

— Vous n'aimez pas le shopping ?

Rita fit la moue.

— Disons que ce n'est pas mon passe-temps préféré. Il existe tellement de choses plus intéressantes à faire. Assister à une conférence sur les rituels d'accouplement du ver de terre, par exemple. Ou bien, à un cours sur la doctrine de Monroe. Ce genre de truc.

Matthew laissa échapper un éclat de rire. Et bizarrement, une fois de plus, il fut surpris en réalisant combien c'était agréable. Il devrait rire plus souvent, songea-t-il avec un petit pincement au cœur, conscient qu'il n'en avait que trop rarement l'occasion.

— Je croyais que l'amour du shopping était inscrit dans le code génétique, sur ce deuxième chromosome X propre aux femmes, plaisanta-t-il.

— Ah, ah, docteur Grayson, répliqua-t-elle avec une moue espiègle. Voilà un préjugé typiquement masculin qui, lui, est certainement inscrit sur votre chromosome Y.

— Touché, conclut Matthew en souriant.

Là encore, il prit conscience du plaisir qu'il prenait à plaisanter. Et cela aussi l'étonna car il ne plaisantait pour ainsi dire jamais.

Plus étonnant encore, Rita continuait de lui sourire.

Les femmes souriaient rarement à Matthew. Probablement parce qu'il n'avait pas envie qu'elles lui sourient et qu'il ne les y incitait pas. Mais avec Rita Barone, c'était tout le contraire. Il aurait voulu qu'elle lui sourie tout le temps. Non seulement, parce qu'elle avait un sourire magnifique qui creusait les commissures de ses lèvres d'une façon qu'il espérait n'être que pour lui, mais surtout, parce que ce sourire lui procurait un inexplicable sentiment de bien-être.

— Pour être honnête, je dois avouer que ce n'est pas uniquement pour le plaisir d'arpenter les magasins que Maria m'accompagne cet après-midi, poursuivit Rita sur le ton de la conversation. En fait, j'ai besoin de ses conseils en matière de mode vestimentaire. Elle possède un goût très sûr. Qualité qui me fait cruellement défaut.

— Et serait-ce indiscret de vous demander pourquoi vous faites appel à son talent ?

Une nouvelle fois, Rita fit la moue. Une moue désabusée encore plus éloquente que la première.

— Il faut que je me trouve une tenue pour une réunion de famille, précisa-t-elle du bout des lèvres.

« Etrange », songea Matthew avec un nouveau pincement au cœur. Elle ne semblait pas plus que lui goûter aux joies des rassemblements familiaux.

— Vous ne paraissez pas apprécier les fêtes de famille, hasarda-t-il en priant pour que sa voix ne trahisse aucune amertume.

— Oh non, ce n'est pas ça, se hâta-t-elle de rectifier. J'adore retrouver les miens. Ils sont formidables tous autant qu'ils sont. Seulement…

— Seulement, quoi ?

Rita poussa un bref soupir.

— En fait, je préfère les réunions en petit comité. Il faut dire que les Barone forment une *grande* tribu…

Cela, Matthew le savait déjà. Ce n'était un scoop pour personne. Tout Boston connaissait le clan Barone.

Les Barone étaient les fondateurs d'un immense empire de glaciers italiens. Le minuscule salon de thé des années trente dans le quartier Nord de Boston, s'était transformé en une chaîne de salons de thé et de magasins célèbres à travers tous les Etats-Unis. Les glaces *Baronessa* étaient distribuées dans toutes les épiceries et supermarchés du pays. Il existait une vingtaine de parfums dont le préféré de Matthew : la glace à la framboise avec pépites de chocolat noir.

Les Barone étaient également célèbres à bien d'autres égards. En particulier, par la rivalité qui les opposait aux Conti, une autre famille renommée de Boston. Matthew ne connaissait pas précisément les raisons de cette vendetta, mais comme tout le monde, il avait entendu dire que les deux familles étaient à couteaux tirés pour une sombre affaire qui aurait eu lieu plus d'un demi-siècle auparavant.

— … Evidemment, il me faut une tenue pour cette occasion, entendit-il Rita expliquer.

Ce n'est qu'à cet instant qu'il réalisa qu'il avait complètement perdu le fil de leur discussion. Pour être honnête, il n'avait pas écouté un traître mot de ce qu'elle venait de lui raconter — probablement parce qu'il s'était perdu dans les profondeurs de ses immenses yeux noirs.

— Excusez-moi, dit-il. De quelle sorte d'événement avez-vous dit qu'il s'agissait ?

Rita lui sourit de nouveau. Et comme la fois précédente, il se sentit merveilleusement bien.

— Je ne l'ai pas précisé ? dit-elle en haussant un sourcil perplexe. Il faut dire que je suis tellement préoccupée par la façon dont je vais bien pouvoir éluder les questions indiscrètes que j'en oublie tout le reste.

— Des questions indiscrètes ? s'étonna Matthew. Quel genre de questions ?

— Oh, vous savez, le genre de questions-réponses dont la vieille génération ne se lasse jamais. Quand vais-je enfin me décider à me marier et à fonder une famille ? Parce qu'au cas où je ne m'en serais pas aperçue, mon horloge biologique tourne et l'éternelle jeunesse n'existe pas. Sans compter qu'il y a tant de jeunes et beaux médecins qui circulent dans les couloirs d'un grand centre hospitalier comme celui du Boston General. Comment se fait-il que je n'ai pas encore réussi à mettre le grappin sur l'un d'entre eux ?

En dépit du fait qu'il ne se classait pas dans la catégorie des « jeunes et beaux » médecins, Matthew se garda bien de poser lui-même cette dernière question, même s'il aurait donné cher pour en connaître la réponse. En effet, il s'était plus d'une fois demandé pourquoi Rita n'était pas mariée. A priori, une fille comme elle, avec une foule d'admirateurs à ses pieds, aurait au moins dû avoir un petit ami attitré. Or, il savait que ce n'était pas le cas.

— Ma famille me harcèle de la même façon, confia-t-il machinalement. Et c'est de pire en pire parce que je résiste depuis déjà un bon bout de temps.

— Je parie que je réussirai à tenir aussi longtemps que vous, plaisanta Rita.

Cette fois, Matthew ne réussit pas à lui retourner son sourire. Sans doute parce que, pour une raison quelconque, cette assertion sous forme de boutade ne le réjouissait pas particulièrement.

— En fait, je ne résiste pas pour le plaisir de résister, crut-il bon de préciser. Simplement, mes parents ne seraient pas mécontents de me voir marié.

Il s'abstint cependant d'ajouter « à une femme digne de lui ». Naturellement, pour les Grayson, une telle femme ne pouvait être qu'issue d'une vieille fortune, de préférence une aristocrate. L'idéal serait évidemment une blonde aux yeux bleus, froide et hautaine. Bref tout le contraire de la jolie brune au regard pétillant qu'était Rita Barone.

— J'imagine que cela fait partie des choses auxquelles on doit s'habituer dès qu'on passe le cap des vingt ans. Je parle des questions indiscrètes, bien sûr, conclut-il en essayant de chasser sa famille de son esprit.

Il était tellement plus agréable de penser à autre chose... A une jeune et jolie infirmière, par exemple.

Puis, comme il s'étonnait d'avoir réussi à discuter tranquillement sept minutes d'affilée sur un sujet autre que professionnel — un record —, il vit Rita lever la main pour saluer quelqu'un.

Quand il tourna la tête, il aperçut une jeune femme qui venait vers eux. Elle ressemblait trait pour trait à Rita. Probablement, sa sœur qui venait la chercher. Ce qui signifiait qu'il n'allait pas tarder à se retrouver de nouveau seul face à sa tasse de café.

En temps normal, Matthew aurait certainement été soulagé de retourner à sa solitude. Cette solitude dont il lui semblait avoir toujours éprouvé un besoin maladif. Mais, aujourd'hui, pour il ne savait quelle raison, il ne voulait plus être seul. Ou plus exactement, il rêvait d'être seul avec Rita Barone...

Il leva les yeux sur la nouvelle venue. Avec son élégant tailleur de flanelle grise et ses escarpins en chevreau, elle était l'archétype de la femme d'affaires.

Nullement intimidée, elle lui lança un premier coup d'œil curieux avant de jeter un second coup d'œil éloquent à Rita qui s'empressa de faire les présentations.

— Maria, je te présente le Dr Grayson. Docteur Grayson, ma sœur, Maria Barone.

— Ravie de vous rencontrer, fit celle-ci, cordiale, avant de se tourner vers Rita et d'ajouter l'air de rien :

— Pourquoi ne lui demandes-tu pas ?

Rita ouvrit de grands yeux, visiblement effarée. Matthew observa sa réaction d'un œil mi-amusé, mi-inquiet. Il n'avait bien entendu aucune idée de ce dont parlait Maria.

En revanche Rita, elle, savait, constata-t-il. Il lui suffit de la voir rougir de colère et siffler entre ses dents :

— Maria !

L'avertissement contenu dans sa voix était clair.

Pourtant Maria, à l'évidence peu affectée par l'accès d'humeur passager de sa sœur, se tourna vers Matthew.

— Rita aurait besoin d'être accompagnée pour une énorme mais très sympathique *fiesta* que les Barone organisent ce vendredi soir, déclara-t-elle de but en blanc. Si elle vient seule, elle va avoir une fois de plus toute la famille sur le dos. Les oncles, les tantes, sans parler des grands-parents et arrière-grands-parents qui commencent sérieusement à se demander si elle réussira un jour à sortir avec un garçon.

Interloqué, Matthew eut à peine le temps de voir Rita virer à l'écarlate avant qu'elle ne se cache le visage dans les mains.

— Maria ! supplia-t-elle.

Indifférente à son désarroi, celle-ci poursuivit allègrement.

— Personnellement, je ne suis pas vieux jeu, et je ne vois aucun inconvénient à ce qu'une femme sorte sans escorte masculine. Malheureusement, les Barone tiennent aux traditions. Les Italiens ont tendance à rester très attachés aux bonnes vieilles valeurs. Particulièrement, le mariage. Et les enfants. Ce qui paraît naturel, dans la mesure où Rita et moi avons six frères et sœurs, sans parler d'une ribambelle de cousins.

Matthew entendit Rita gémir tandis que Maria continuait sur sa lancée.

— Bien entendu, si je vous raconte tout ça, ce n'est pas parce que j'espère que, vous deux, vous allez vous marier et agrandir le clan Barone d'une bonne demi-douzaine de bambins. Pas du tout. Seulement, en vous voyant assis ensemble à discuter tranquillement, on peut légitimement supposer que vous êtes bons amis. Alors pourquoi Rita ne vous demanderait-elle pas de l'accompagner à cette soirée ?

Médusé, Matthew ouvrit la bouche et, ne sachant quoi répondre, la referma aussitôt.

Il se mit à réfléchir à toute vitesse. D'un point de vue théorique, la proposition de Maria était tout à fait logique. Enfin, presque... D'un autre côté, c'était absolument impossible. Parce que... Parce que...

Eh bien, parce que c'était impossible, voilà tout !

— Alors, Rita, qu'en penses-tu ? demanda Maria. Pourquoi ne proposes-tu pas au Dr Grayson de venir faire la fête avec nous, ce vendredi soir ? A condition qu'il ne soit pas déjà pris par ailleurs, cela va de soi.

Pour toute réponse, Rita ne put que secouer sa tête qu'elle cachait toujours entre ses mains.

— Et à condition, bien entendu, que tu n'aies pas déjà invité quelqu'un d'autre, enchaîna Maria, décidément sans pitié.

Sur ce, elle éclata de rire, comme si elle venait de faire une bonne blague.

— Rassurez-vous, je ne faisais que la taquiner, précisa-t-elle à l'attention de Matthew. Tout le monde sait qu'elle n'invite jamais aucun garçon. Une vraie nonne !

Un nouveau gémissement en provenance de Rita leur fit tourner la tête à tous deux dans sa direction.

— Alors, sœurette, qu'en penses-tu ? insista de nouveau Maria.

Rita finit par laisser retomber ses mains et se tourna vers Matthew. Elle était encore écarlate, mais réussit néanmoins à afficher un sourire mi-figue mi-raisin.

— On peut dire que vous avez de la chance d'avoir rencontré Maria Barone aujourd'hui, dit-elle. Car dès demain matin, vous lirez son nom dans les journaux à la rubrique nécrologie, précisa-t-elle avec un petit rire forcé. Bref, faites comme si elle n'existait pas, ajouta-t-elle. Ma petite sœur n'a pas toute sa tête. Elle ne sait pas ce qu'elle raconte.

— Oh, mais je sais parfaitement ce que je raconte ! protesta celle-ci.

— Je serai ravi de vous accompagner, déclara Matthew au même instant.

Quand il prit conscience de ce qu'il venait de dire, il parut aussi stupéfait que l'était Rita. Seule, Maria ne semblait pas surprise outre mesure.

— Tu vois ? fit-elle à l'intention de Rita. Une fois de plus, j'avais raison. Bon, maintenant que je t'ai trouvé un cavalier, il ne me reste plus qu'à te dénicher une tenue. Tu me remercieras plus tard. Prête à partir ?

Pas de réponse. Visiblement, Rita n'écoutait pas. Elle avait l'esprit ailleurs.

— Vous êtes sérieux, docteur Grayson ? Vous voulez bien m'accompagner à cette soirée ?

Comment une si belle jeune femme pouvait-elle en douter ? s'étonna Matthew.

Il s'étonnait aussi d'avoir accepté aussi facilement. D'habitude, il évitait les soirées, particulièrement quand il ne connaissait pas les autres invités. En règle générale, il fuyait ses semblables. L'adulte qu'il était ne se sentait pas plus à l'aise en société qu'il ne l'avait été enfant. Bien sûr, depuis, il était passé entre les mains des chirurgiens, et les cicatrices sur son visage étaient sans doute moins visibles que dans sa jeunesse. Mais il y avait eu une longue période dans sa vie — une période épouvantable qui ne lui semblait pas si éloignée même si des années s'étaient écoulées — où les gens, quand ils découvraient son profil abîmé, se détournaient de lui et l'excluaient ostensiblement. A cette époque, ce rejet systématique l'avait touché plus cruellement que ne l'avaient fait les blessures physiques. Et ces souvenirs n'étaient pas de ceux qu'on oublie. C'étaient des souvenirs trop puissants et trop cruels pour être totalement ensevelis, trop violents, gravés trop profondément dans son âme. Ils grouillaient dans les recoins de sa mémoire en attendant le moment de surgir chaque fois que l'occasion s'en présentait.

Pourtant, ce soir, il se sentait incapable de refuser quoi que ce soit à Rita.

— Je suis tout à fait sérieux, assura-t-il précipitamment de peur de flancher s'il réfléchissait trop. Ça me semble amusant. Après tout, ce n'est pas tous les jours que se présente l'occasion de côtoyer le célèbre clan Barone.

Et c'était vrai. La soirée promettait d'être l'événement mondain du mois. C'était exactement le genre d'endroit où il fallait se montrer quand on faisait partie de l'élite sociale d'une ville telle que Boston. Et même si les Grayson critiquaient ceux qu'ils appelaient les « nouveaux riches », ils fréquentaient cependant les mêmes cercles, et d'un point de vue purement financier, les Barone n'avaient rien à envier aux Grayson. Alors, en assistant à cette soirée avec Rita, Matthew ne pouvait s'empêcher de songer qu'ainsi, il établissait un premier lien, aussi ténu soit-il, entre les deux familles.

— A quelle heure dois-je venir vous prendre ? demanda-t-il à Rita qui continuait à le regarder comme s'il était un extraterrestre.

Sans doute, était-elle paniquée à l'idée de passer une soirée avec lui, s'inquiéta-t-il subitement. Après tout, c'était Maria qui avait lancé l'invitation. Théoriquement parlant, Rita ne l'avait pas invité. Elle cherchait sans doute une excuse pour se débarrasser de lui poliment. Il sentit la boule d'amertume familière qui naissait dans sa gorge.

C'est alors que Rita lui sourit. C'était un sourire sincère. Un sourire authentique. Un sourire positivement ravi. Et Matthew eut bien du mal à réprimer un soupir de soulagement.

— Non, c'est moi qui viendrais vous chercher, lui répondit-elle. Pour une réception de cette importance, les Barone mettent toujours à disposition des membres de la famille une limousine avec chauffeur. Elle passera d'abord me prendre, puis nous irons chez vous. Disons… 20 heures ?

Matthew acquiesça.

— Parfait.

Elle lui souriait toujours et Matthew s'exhorta au calme. Il devait à tout prix garder la tête froide et ne pas se laisser aller à prendre ses rêves ou ses espoirs pour des réalités.

— Alors, à vendredi soir, 20 heures. Tous les gens branchés seront de la fête, conclut Rita avec une grimace espiègle avant de se lever pour suivre sa sœur.

Il la regarda s'éloigner, incapable de détacher son regard de sa silhouette fine et racée, de sa démarche de danseuse. Comme elle franchissait le seuil de la cafétéria, elle se tourna vers lui, et lui adressa tout naturellement un dernier sourire en levant la main pour lui dire au revoir.

C'est à cet instant seulement qu'il remarqua l'absence du bracelet à son poignet. La broche non plus n'était pas épinglée sur sa blouse.

4.

Durant tout le reste de la semaine, Rita eut l'impression de marcher sur des œufs. Chaque fois qu'elle croisait le Dr Grayson, elle tentait désespérément de se convaincre que le fait qu'il ait accepté de sortir avec elle — de l'accompagner, se corrigeait-elle systématiquement — ne changeait rien à leurs relations professionnelles.

Sauf que d'une façon ou d'une autre, ça changeait tout.

Pour preuve, dès qu'elle l'apercevait, elle ressentait une bizarre sensation de chaleur dans le ventre, et son esprit se vidait. Elle ne savait jamais quoi lui dire une fois échangé le premier bonjour, et elle se torturait les méninges pour trouver une excuse qui lui permettrait de prendre la fuite avant qu'il ne commence à s'interroger sur son quotient intellectuel.

Elle s'était également surprise à remarquer chez Matthew Grayson des choses auxquelles elle n'avait jamais prêté attention. Par exemple, le nombre de morceaux de sucre qu'il mettait dans son café — plus que n'importe quel autre membre de l'équipe médicale. Elle était aussi frappée par la finesse de ses longs doigts ce qui, en soi, n'était guère étonnant pour un chirurgien. Mais le problème, c'est qu'elle ne pensait jamais à lui en tant que chirurgien quand elle regardait ses mains. En fait, elle pensait à tout autre chose… A ce que ses mains pourraient faire sur *elle*. Pensées totalement indécentes. Malheureusement, c'était plus fort qu'elle. De la même façon, elle ne pouvait s'empêcher d'admirer sa silhouette athlétique. Combien ses épaules étaient larges sous la blouse blanche. Et combien elle aimait son parfum boisé et si délicieusement masculin. Et puis surtout, elle était fascinée par ses yeux. Des yeux de rêve, couleur de l'océan ou couleur d'un ciel d'orage selon la lumière, selon son humeur.

Alors, naturellement, quand arriva le vendredi soir, Rita ne savait plus exactement où elle en était, et quelle attitude adopter, d'une part, vis-à-vis de sa famille quand elle se montrerait au bras du Dr Grayson, d'autre part, vis-à-vis du Dr Grayson lui-même.

Debout devant le grand miroir de sa chambre, elle s'avisa subitement que la tenue qu'elle avait autorisé sa sœur à lui choisir était un brin osée… Rien à voir avec ce qu'elle portait d'habitude.

La petite robe noire était vraiment très, très courte. Bien plus courte qu'elle ne lui avait paru de prime abord dans le salon d'essayage de Lord & Taylor. En dépit de ses efforts pour tirer dessus, l'ourlet souligné d'un galon argenté était bien au-dessus du genou. Le scintillement attirait le regard qui s'aventurait ensuite le long de ses jambes gainées de soie noire. Quant au décolleté souligné du même galon argenté, il était profond, et les minuscules bretelles glissaient sur ses épaules bien au-dessous des clavicules. Et brusquement, Rita éprouva un frisson à l'idée que cette robe pourrait fort bien glisser plus bas que ses épaules avant la fin de la nuit…

Mon Dieu, cette pensée impudique lui était venue tout naturellement ! réalisa-t-elle soudain avec consternation. Que lui arrivait-il ? Elle d'ordinaire si raisonnable, si terre à terre, voilà qu'elle se mettait à fantasmer ! Elle sentit l'affolement la gagner.

Luttant pour chasser de son esprit des images indécentes, Rita voulut d'abord se rassurer en essayant désespérément de se convaincre que le Dr Grayson était certainement trop sérieux, trop professionnel, pour s'autoriser à draguer une collègue de travail. Du reste, elle-même n'était pas femme à flirter inconsidérément avec un homme dont elle ne serait pas complètement et irrémédiablement amoureuse. Or, même si elle ne pouvait nier la fascination qu'exerçait sur elle le talentueux chirurgien, elle n'était en aucune façon amoureuse de lui. Par conséquent, la seule façon dont cette robe quitterait ses épaules cette nuit, ce serait dans cette chambre lorsqu'elle se déshabillerait pour se glisser dans son lit, conclut-elle, catégorique. Seule.

De toute façon, la robe était si moulante, qu'elle lui collait au corps comme une seconde peau. Une véritable armure, songea-t-elle en tirant de nouveau sur l'ourlet. Bizarrement, cette constatation ne la rassura pas pour autant. Au contraire. Le tissu plaqué contre son corps dévoilait ses formes plus qu'il ne les masquait.

Rita examina de nouveau son reflet dans la glace.

Elle portait un collier de perles et les boucles d'oreilles assorties qui avaient appartenu à sa grand-mère. Machinalement, elle se pencha et passa la main sur les bas de soie que sa sœur avait tant insisté pour lui faire acheter — de véritables bas qui avaient également nécessité l'achat d'un porte-jarretelles, en dépit des protestations de Rita qui trouvait ce genre d'accessoire superflu, archaïque et inconfortable, pour ne pas dire complètement ridicule.

Bien entendu, Maria avait ri de ses réticences, et lui avait assuré qu'elle se sentirait plus féminine, plus coquine et plus séduisante — c'est du moins, selon elle, ce que prétendait un article dans *Cosmopolitan*. Cela l'aiderait certainement à surmonter sa nervosité en présence du Dr Grayson, avait-elle ajouté d'un air entendu.

Naturellement, quand Rita lui avait demandé ce qui lui faisait croire que Matthew Grayson la rendait nerveuse, Maria s'était contentée de lui adresser son plus beau sourire, son préféré pour laisser planer le doute : un sourire carnivore, celui qui dévoilait toutes ses dents. Et sans un mot, elle avait tendu à la vendeuse, les bas, le porte-jarretelles, ainsi qu'un slip et un soutien-gorge à balconnets en dentelle noire.

A présent, même si c'était à contrecœur, Rita devait reconnaître qu'elle ne s'était effectivement jamais sentie aussi féminine.

Elle sourit à son reflet dans la glace, mit une goutte de parfum dans le cou, sur ses cheveux et sur ses poignets qu'elle frotta l'un contre l'autre. Puis vint le tour des escarpins à talons aiguilles qui complétaient sa tenue. Elle les enfila et fit quelques pas prudents dans la chambre en prenant soin de ne pas se tordre une cheville. Voilà typiquement le genre de chaussures qu'elle n'aurait jamais achetées si Maria n'avait pas insisté.

« Il faut mettre de côté son sens pratique quand on sort avec un homme aussi délicieux que le Dr Grayson. Le contraire serait impardonnable » avait décrété celle-ci.

— Le délicieux Dr Grayson…, répéta pensivement Rita en passant la brosse dans ses cheveux qu'elle avait choisi de laisser retomber librement sur ses épaules.

Elle n'aurait jamais songé à associer une telle épithète à la personne du jeune médecin. Curieux, mystérieux, sans doute. Et bien sûr, séduisant à sa façon. Et oui, sexy, aussi. Mais certainement pas délicieux. Cet adjectif semblait trop frivole pour un homme tel que lui. En réalité, il était tout simplement…

Fantastique.

Rita ferma les yeux et tourna le dos au miroir.

Non, il n'était pas fantastique, se dit-elle avec un soupir découragé. Pas fantastique du tout. Il n'était que le Dr Grayson, un collègue de travail bougon et distant. Pas du tout son type d'homme, se répéta-t-elle pour la centième fois.

Mais alors, comment expliquer sa nervosité et cette soudaine sensation de chaleur dans le ventre dès qu'elle songeait à lui ?

*
* *

Le siège du groupe *Baronessa* occupait un immense building ultramoderne en plein centre de Boston, sur Huntington Avenue. La paroi de verre et d'acier de la façade futuriste reflétait comme un miroir les lumières de la ville.

Pour Matthew, l'architecture du bâtiment était à la hauteur de la réputation du clan Barone. Imposante, hardie et raffinée.

Dans l'ascenseur qui les emmenait au sommet du bâtiment, Rita lui fit une brève présentation de la compagnie. Les étages supérieurs abritaient les bureaux de la direction, les niveaux inférieurs étant occupés par les services administratifs et l'important pôle des relations publiques de la compagnie. Le groupe comptait plusieurs usines de fabrication dont l'une était implantée dans la banlieue Ouest de Boston. La famille Barone possédait également pour son usage privé une vaste propriété à Cape Cod, où elle avait l'habitude de se retirer de temps en temps pour les week-ends et autres occasions.

— Malheureusement, je n'y vais pas aussi souvent que mes frères et sœurs, précisa Rita en sortant de l'ascenseur. Entre les dimanches d'astreinte à l'hôpital et tout le reste, il m'est difficile de trouver le temps nécessaire pour en profiter. C'est dommage, parce que l'endroit est magnifique. Un jour, peut-être…

Rita s'interrompit au beau milieu de sa phrase, mais Matthew était quasiment certain qu'elle avait été sur le point de l'inviter dans la maison familiale. S'était-elle arrêtée net parce qu'elle venait de réaliser qu'elle n'avait aucune envie d'approfondir leur relation ? Ou bien encore, parce qu'elle avait peur qu'il puisse décliner son invitation ? Difficile de juger.

Quoi qu'il en soit, cette fille le fascinait. Il n'arrivait toujours pas à en croire ses yeux. Il la trouvait déjà très jolie dans son uniforme d'infirmière avec ses cheveux nattés. Mais dans cette robe… Jolie était un faible mot. Ravissante, séduisante, stupéfiante, étaient certainement plus appropriés.

Quand il avait ouvert sa porte d'entrée pour la trouver sur le perron du petit hôtel particulier qu'il habitait en plein centre de Boston, il avait été époustouflé par sa beauté. Passé le premier instant de surprise, il s'était rapidement ressaisi en se félicitant d'avoir choisir son smoking le plus élégant. Mais dans les minutes qui avaient suivi, il avait été incapable de se concentrer sur quoi que ce soit, si ce n'est sur la peau dorée de la jeune femme. Une peau brune et satinée, merveilleusement exotique. Il ne l'avait jamais vue habillée autrement qu'en tenue d'infirmière, et il n'avait pu s'empêcher de laisser son regard dériver sur sa silhouette fine et élancée, notant au passage la rondeur de ses seins parfaitement mis en valeur par le décolleté plongeant de la petite robe noire qui dévoilait également ses longues jambes merveilleusement galbées.

Et ses cheveux…

Il pouvait enfin les contempler libérés de leur natte. Epais et brillants, ils tombaient bien en dessous de ses épaules. Ils semblaient avoir été créés pour attirer la main d'un homme.

Matthew devait faire des efforts héroïques pour résister à l'envie de plonger ses doigts dans cette cascade de boucles brunes aux reflets auburn. Et il n'y avait pas seulement les cheveux de Rita qu'il mourait d'envie de caresser… Mais pas dans cet ascenseur. Pas tout de suite. Plus tard, peut-être…

Bon sang, voilà qu'il recommençait à délirer !

Jusqu'à présent, Rita ne lui avait pourtant donné aucun signe qui puisse laisser croire que cette soirée était autre chose pour elle qu'une simple réception mondaine à laquelle elle avait convié un collègue de travail. Et cela, uniquement parce qu'elle avait besoin d'être accompagnée afin de ne pas faire l'objet du traditionnel harcèlement familial à propos de son statut de célibataire. D'un autre côté… La petite robe qu'elle portait était peut-être un signe.

Pas du tout, corrigea-t-il de lui-même. Cette robe ne pouvait pas être un signe dans la mesure où c'était la sœur de Rita qui l'avait très probablement choisie, se souvint-il en se remémorant leur conversation à la cafétéria. Donc, jusqu'à preuve du contraire, et à moins qu'il ne réussisse à se convaincre qu'un agréable bavardage constituait un acte de séduction, Rita ne lui avait donné aucun indice suggérant qu'elle attendait de lui plus qu'une simple compagnie. Enfin… Pour le moment.

En parlant de bavardage, il ferait bien de ne pas perdre de vue que c'était l'activité essentielle de la soirée. Justement, Rita venait d'aborder un sujet qui l'intriguait au plus haut point.

— Pardonnez ma curiosité, mais je trouve étrange que vous ne travailliez pas pour l'entreprise familiale, observa-t-il. J'imagine qu'on vous l'a proposé. Alors, pourquoi avoir choisi le métier d'infirmière ?

— Honnêtement, je n'en sais rien, répondit la jeune femme avec un léger haussement d'épaules. J'avais cinq ans quand j'ai reçu pour Noël une panoplie d'infirmière. A partir de ce moment-là, je ne me rappelle pas avoir désiré faire autre chose que ce métier. Evidemment, si j'avais voulu, j'aurais pu entrer au service de la compagnie familiale. Mais je n'ai pas vraiment le sens des affaires. D'ailleurs, pour être franche, je ne m'y suis jamais intéressée. Ce n'est pas comme certains de mes frères et sœurs. Nicholas, Joe, Gina, Maria… Sans parler de mes cousins ! Derrick et Emily travaillent eux aussi pour le groupe. De toute façon, je ne pense pas que papa puisse offrir des postes à tous les Barone. Heureusement pour lui, nous sommes quelques-uns à avoir choisi une autre voie. Mon frère, Reese, est ingénieur en aéronautique. Alex s'est engagé dans la marine marchande. Colleen est éducatrice. Ma cousine, Claudia, est assistante sociale. Et Daniel…

Rita sourit et chuchota d'un air complice :

— Eh bien, Daniel est cascadeur professionnel et play-boy à ses moments perdus.

— Voilà une profession peu banale, commenta Matthew avec un sourire amusé. Ce genre de talent n'est pas donné à tout le monde.

— N'est-ce pas ? renchérit Rita dans un éclat de rire en sortant de l'ascenseur. Et maintenant, docteur Grayson, j'arrête de parler des Barone. Vous allez bientôt pouvoir les rencontrer en chair et en os. Suivez-moi. Je crois qu'à part Reese et Alex, tout le monde est là.

Comme elle passait devant pour lui indiquer le chemin, Matthew la saisit brusquement par le poignet et l'attira vers lui.

Surprise par ce geste inattendu, Rita chancela sur ses talons aiguilles et, instinctivement, posa sa main sur la poitrine de Matthew. A ce simple contact, elle le sentit se raidir tout entier. Et quand leurs regards se croisèrent, il lut l'étonnement dans ses grands yeux bruns. Il n'aurait su dire si elle était plus étonnée par son geste ou par sa réaction à lui. Quoi qu'il en soit, elle ne retira pas sa main. Au contraire... Elle écarta ses doigts longs et fins sur son torse comme si elle avait peur de tomber. Et Matthew ne lâcha pas son poignet comme si, lui, avait peur de la perdre.

— Qu'est-ce qu'il y a ? demanda-t-elle doucement, le souffle court.

— Je ne vous suivrai nulle part, Rita, dit-il posément. Jusqu'à ce que vous m'ayez juré de ne plus m'appeler Dr Grayson. Appelez-moi Matthew à partir de maintenant.

Rita hésita une seconde, les lèvres légèrement entrouvertes, son regard enchaîné au sien. Elle avait des yeux si noirs... Et ses lèvres roses et pleines qui l'attiraient un aimant. Il ne savait que faire. La voix intérieure lui ordonnait d'incliner la tête et d'effleurer cette bouche parfaite, une fois, deux fois, trois fois… Fasciné, il commença lentement à pencher sa tête vers elle, jusqu'à…

— D'a… d'accord, M… Matthew.

La voix de Rita le ramena brusquement sur terre. Réalisant le côté insensé de la situation, il redressa la tête et relâcha le poignet de la jeune femme qui le regardait, visiblement aussi désorientée que lui, tandis qu'elle ôtait sa main de sa poitrine et la laissait retomber le long du corps.

Au moins, avait-elle réussi à prononcer son prénom, tenta-t-il de se rassurer. Même si elle avait trébuché dessus.

— C'est bon. J'accepte de vous suivre, déclara-t-il doucement.

Puis la prenant par le coude, il lui fit signe d'avancer.

Comme ils marchaient le long d'un interminable couloir où se succédaient bureaux et salles de réunions, ils perçurent des accords de jazz au fur et à mesure qu'ils se rapprochaient du lieu des festivités. Le son d'une clarinette se mêlait à celui d'un saxo.

Après avoir tourné dans un autre couloir, plus petit celui-ci, ils pénétrèrent enfin dans une imposante salle de réception complètement vitrée, couronnée par une immense verrière surplombant la ville.

La vue était proprement saisissante. Les lumières de la cité se reflétaient sur le ciel sombre balayé par les lueurs pourpres et orangées du coucher de soleil. De légers nuages s'effilochaient d'un bout à l'autre du panorama, attendant la nuit qui n'allait pas tarder à envelopper Boston dans son obscurité. A l'intérieur de la salle, les lumières brillaient aussi, savamment dissimulées dans les plantes vertes et l'armature d'acier de la verrière.

Matthew s'accorda le temps de contempler ce qui se déroulait sous ses yeux. Son regard glissa rapidement du bar situé sur sa droite vers les tables somptueusement décorées de fleurs sauvages roux et or, et s'arrêta sur la scène dressée au fond de la salle qui accueillait l'orchestre de jazz. Quelques couples dansaient. Des serveurs circulaient entre les convives proposant des coupes de champagne et une étonnante diversité de canapés. De longues tables couvertes de lin offraient un buffet digne des plus grands restaurants gastronomiques.

— Ma foi, le moins qu'on puisse dire, c'est que vous savez recevoir chez les Barone, commenta Matthew en suivant Rita qui se frayait un chemin au milieu de la foule des invités.

— Pour sûr ! acquiesça-t-elle avec enthousiasme. Regardez, voilà mes parents ! Nous n'avons qu'à commencer au sommet de la hiérarchie, puis nous descendrons les échelons, plaisanta-t-elle. Autant en finir le plus rapidement possible avec les présentations afin que nous puissions tranquillement profiter de la soirée sans avoir à nous soucier des questions indiscrètes et des regards curieux.

Matthew la dévisagea attentivement.

— Dites-moi d'abord qui se trouve au bas de la hiérarchie.

Rita lui sourit.

— Tous ceux qui, comme moi, ont les boulots les plus durs et les moins glorieux.

Ma foi, il se contenterait fort d'une Barone au bas de l'échelle, s'amusa silencieusement Matthew.

Quelques secondes plus tard, il faisait la connaissance de Moira Reardon Barone. La mère de Rita était la fille du précédent gouverneur du Massachusetts, se souvint-il. Cela ne devrait pas déplaire à ses parents — si, bien sûr, l'opportunité de faire se rencontrer les Barone et les Grayson se présentait un jour. Ce qui n'était pas d'actualité parce qu'il n'y avait absolument rien entre Rita et lui.

Moira Barone, découvrit-il bientôt, était une femme d'une nature extrêmement directe et chaleureuse qui ne cherchait en aucune façon à dissimuler son intérêt pour l'homme qui accompagnait sa fille.

— Chirurgien, dites-vous ? demanda-t-elle en adressant à Rita un sourire approbateur. Bien. Très bien. Nous n'avons pas de médecin dans la famille.

— Maman ! souffla Rita, le regard menaçant.

— Ce qui est tout à fait ennuyeux, poursuivit Moira Barone indifférente à l'avertissement. Parce qu'un médecin dans une famille, c'est vraiment pratique.

— Et voici mon père, l'interrompit précipitamment Rita. Carlo Barone. Papa, je te présente le Dr Grayson. Nous travaillons ensemble à l'hôpital.

Avec ses yeux sombres et ses cheveux bruns, le patriarche du clan Barone ressemblait à sa fille, si ce n'est que ses cheveux grisonnant sur les tempes étaient coupés aussi court que ceux d'un militaire. Le père et la fille étaient également de la même taille. Mais autant la silhouette de Rita était mince et déliée, la faisant paraître presque fragile, autant celle de son père était massive et puissante. L'homme donnait incontestablement une impression de force et d'autorité, et Matthew n'avait aucun mal à l'imaginer à la tête d'un empire commercial. Du reste, les quelques mots échangés avec lui terminèrent de le convaincre de l'intelligence et de l'intégrité de Carlo Barone.

— Vous semblez bien vous entendre avec vos parents, dit-il à Rita lorsqu'ils se furent éloignés.

La jeune femme les avait tendrement embrassés sur la joue et Matthew ne se lassait jamais d'observer les relations des uns et des autres avec leurs proches. Pour sa part, il n'était pas habitué aux marques d'affection et de tendresse. Les Grayson n'étaient pas du genre démonstratif. Et Matthew se demandait souvent si c'était une question d'éducation ou tout simplement une question de tempérament.

— Je crois surtout que j'ai la chance d'être la petite avant-dernière, plaisanta Rita. Mes parents avaient déjà eu le temps de faire leurs armes sur les six premiers rejetons. Mais vous avez raison. Nous nous entendons très bien. Oh, bien sûr, comme dans toutes les familles, il y a des cris, des heurts, mais aussi des rires et beaucoup d'amour. Mes parents ont toujours été très attentionnés et très disponibles avec nous. Et même si papa était plutôt du genre sévère, surtout avec mes frères aînés, il n'a jamais été dominateur. Sauf avec Reese, peut-être, à une certaine époque. Heureusement, il semble se bonifier avec l'âge. De toute façon, il est bien connu que les pères sont toujours plus coulants avec leurs filles, conclut Rita avec un sourire espiègle.

Sur ce, elle enleva deux coupes de champagne sur le plateau d'un serveur qui venait de se matérialiser à côté d'eux. Puis, elle conduisit Matthew vers l'une des baies vitrées qui dominait le cœur de Boston.

Délaissant la vue pourtant spectaculaire, elle se mit en devoir de présenter à son cavalier quelques-uns des membres du clan Barone qui passaient devant eux.

— Là, c'est mon cousin Derrick, chuchota-t-elle avec un air de conspiratrice, en désignant discrètement un homme grand et mince, aux cheveux noirs comme le jais, au profil d'aigle et à l'air austère.

Debout, devant le buffet, ce dernier semblait sur le point de prendre une décision vitale : les beignets de crevettes ou les mini-quiches ?

— Il a un frère jumeau. On prétend qu'il y a un « Bon » et un « Mauvais » dans un couple de jumeaux. Mes sœurs et moi avons toujours pensé qu'il était le « Mauvais », chuchota de nouveau Rita. Tandis que mon cousin, Daniel…

Elle désigna du menton un autre homme un peu plus loin. Il ressemblait au premier, mais en plus athlétique et plus séduisant.

— … Lui, là-bas, c'est le « Bon ». Plus sympathique, n'est-ce pas ? Mais ce n'est pas un ange pour autant, ajouta-t-elle en riant. En tout cas, ces deux-là sont le jour et la nuit. Daniel est un excellent sportif et un chanceux qui transforme en or tout ce qu'il touche. Alors que Derrick…

Rita eut une moue éloquente.

— Il essaie. Malheureusement, il ne possède pas les talents de son frère. Daniel lui fait de l'ombre et je crois qu'il en est parfaitement conscient.

— Cette rivalité a-t-elle toujours existé entre eux ? demanda Matthew.

— D'une certaine façon, oui, soupira Rita, l'air subitement grave tandis qu'elle regardait fixement son cousin.

Elle se ressaisit cependant presque aussitôt pour se tourner vers Matthew.

— Et vous ? dit-elle. A votre tour de me parler de la famille Grayson.

Seigneur, il aurait dû se douter qu'il n'échapperait pas à ce genre de question, gémit silencieusement Matthew en se demandant par où commencer.

— Oh, il n'y a pas grand-chose à dire. Je suis issu d'une *très* vieille famille de Boston, répondit-il laconiquement en espérant que cela suffirait à Rita.

Là aussi, il aurait dû se douter qu'il n'en serait rien.

— A vous entendre, on croirait qu'ils sont arrivés sur le *Mayflower*, gloussa la jeune femme.

— Eh bien, c'est un fait que…

Le rire de Rita s'éteignit.

— Quoi ! Vous n'êtes pas sérieux ?

— J'ai bien peur que si.

— Les Grayson font partie des fondateurs de cette ville ?

Matthew hocha la tête.

— Mince, alors ! Je parie que c'étaient déjà de riches aristocrates quand ils ont mis le pied sur le Nouveau Monde.

Matthew acquiesça de nouveau.

— Il semble que nous soyons apparentés à une petite branche de la famille royale sur le Vieux Continent, mais je ne me suis jamais penché sur la question, précisa-t-il.

— J'ai du mal à vous imaginer en prince, le taquina Rita, l'œil malicieux.

— Disons que je me préfère en cardiologue.

— Ne trouvez-vous pas extraordinaire que nous soyons là tous les deux, alors que nous venons de milieux si différents ? observa Rita. Je ne suis qu'une Américaine de seconde génération. Mon grand-père a émigré de Sicile en 1935. Il a été garçon de café jusqu'à ce qu'il lance les glaces italiennes *Baronessa*. D'une certaine façon, je suis issue de la misère, tandis que vous, vous êtes issu de la noblesse. Contraste intéressant, non ?

— Très intéressant, acquiesça Matthew.

— Et maintenant, parlez-moi de vos parents et de vos frères et sœurs. Vous avez des cousins ? Comment sont-ils ?

Matthew fouilla ses méninges à la recherche de qualificatifs honorables pour décrire sa famille. Malheureusement, les seuls mots qui lui venaient à l'esprit n'étaient guère flatteurs. Froid. Distant. Orgueilleux. Terne. En dépit de leur statut social élevé, force était de reconnaître que les Grayson ne possédaient rien de la chaleur et de l'éclat des Barone.

— J'ai une sœur cadette, finit-il par répondre, mettant de côté sa série d'adjectifs.

— Ha ha, fils aîné, commenta Rita.

— Vous dites cela comme si c'était un problème, observa Matthew en la regardant d'un œil suspicieux.

— Peut-être, peut-être pas, lui répliqua Rita avec un sourire mystérieux. Et que fait votre sœur ? Les Grayson possèdent-ils également une affaire familiale ?

Matthew secoua doucement la tête.

— En quelque sorte. Mon père est banquier. Ma sœur, agent de change. Mes cousins ainsi que mes oncles et tantes, appartiennent tous au milieu de la finance. Moi, je suis le mouton noir de la famille.

Rita éclata de rire.

— Un cardiologue de renom considéré comme le mouton noir ? Je ne vous crois pas !

— C'est pourtant la vérité.

Puis, comme Matthew réfléchissait rapidement à un moyen de détourner cette conversation qui menaçait de prendre un tour trop intime à son goût, Carlo Barone vint sans le vouloir à son secours.

Le P.-D.G. de *Baronessa* monta sur l'estrade momentanément désertée par l'orchestre de jazz, et prit le micro pour annoncer la contre-offensive imminente de sa compagnie. Puis il présenta Gina Barone Kingman, chargée des relations publiques, se souvint Matthew.

Mis à part leur peau mate et leurs cheveux ondulés, Gina et Rita ne se ressemblaient guère. La sœur aînée était beaucoup plus grande. De là où il se trouvait, Matthew constata également qu'elle avait des yeux violets. Des yeux qui ne possédaient pas cette nuance riche et profonde, propre au regard de Rita. Comme la plupart des femmes présentes à la réception, Gina portait une élégante robe de cocktail noire qui était cependant plus couvrante que celle de sa cadette.

La jeune femme fit un bref exposé de quelques minutes concernant l'historique du groupe Barone. Puis, elle mentionna très rapidement le retrait du parfum « fruit de la passion » avant de brandir à bout de bras un papier.

— Ce que je tiens dans ma main, déclara-t-elle, c'est la liste des règles de notre nouveau concours « Créez une nouvelle glace ». Demain, ce document paraîtra en première page de tous vos journaux. Nous contre-attaquons en proposant à tous les habitants de cette ville de créer, d'inventer une nouvelle glace. Toutes les recettes…

Une salve d'applaudissements enthousiastes l'interrompit.

— Toutes les recettes seront prises en compte, reprit-elle. Elles seront réalisées dans notre fabrique sur Brookline et présentées à un jury constitué des dirigeants du groupe… et de maman, bien sûr, ajouta-t-elle avec un sourire à l'adresse de celle-ci.

De nouveau, les applaudissements crépitèrent.

— La créatrice ou le créateur de la recette gagnante, poursuivit Gina ne verra pas seulement son œuvre distribuée par tous les glaciers *Baronessa* et les supermarchés ; il recevra également un chèque d'un montant de cinq mille dollars.

Tandis que les applaudissements crépitaient de nouveau, Matthew se pencha vers Rita pour lui murmurer à l'oreille.

— Alors, comme ça, ils abandonnent définitivement la glace aux fruits de la passion ? Dommage, elle semblait délicieuse.

Rita tourna vers lui un regard surpris. Elle semblait étonnée qu'il puisse s'intéresser aux affaires de la famille Barone.

— Je pense que c'est ce qu'il y a de mieux à faire après un lancement aussi désastreux, expliqua-t-elle après un léger temps d'hésitation.

— A-t-on découvert l'origine du sabotage ?

Rita secoua la tête.

— Nous n'en avons toujours aucune idée. En fait, parmi nous, certains pensent que c'est un règlement de comptes organisé par un glacier concurrent. D'autres mettent cette catastrophe sur le dos des Conti. Vous êtes au courant de cette fichue malédiction ?

— Comme tout le monde dans cette ville, j'en ai entendu parler, répondit Matthew.

Rita haussa les épaules.

— Je ne sais pas pourquoi, mais j'ai du mal à croire les Conti capables d'une telle bassesse. Personnellement, je pencherai plutôt pour la vengeance personnelle d'un employé. Même si cela paraît complètement insensé.

— Vous seriez surprise du nombre de choses insensées dont les gens sont capables, observa tranquillement Matthew.

Il y avait cependant dans sa voix une tension que Rita n'avait encore jamais perçue. Son intuition lui dicta de ne pas poursuivre plus avant ; aussi choisit-elle de détourner leur conversation vers un sujet plus anodin : en confiant à son compagnon qu'elle priait pour que la recette gagnante soit à base de chocolat car c'était de loin son parfum préféré.

Gina dit encore quelques mots concernant le déroulement du concours. Puis, elle clôtura son allocution en invitant l'assemblée à profiter de la soirée.

Et le champagne se mit à couler à flots.

Plus tard, Rita se dit que c'était probablement la raison pour laquelle, après être sortie avec Matthew sur la terrasse, elle avait enfin osé lui poser la question qui lui brûlait les lèvres depuis si longtemps.

— Comment est-ce arrivé, ces cicatrices sur votre visage ?

A peine les mots avaient-ils franchi ses lèvres qu'elle les regretta. Elle plaqua une main sur sa bouche comme si elle avait voulu les ravaler.

En réalité, la question n'avait cessé de lui tarauder l'esprit depuis le début de la soirée, dès l'instant où Matthew lui avait ouvert la porte de sa maison. Il était si beau dans son smoking, qu'elle n'avait pu s'empêcher de penser que sans ces cicatrices, il aurait été tout simplement parfait.

Et voilà que subitement, elle formulait à haute voix ses interrogations alors qu'elle aurait mieux fait de se taire. Oui, elle aurait mieux fait de se taire, non seulement parce qu'une telle question était affreusement indiscrète, mais surtout parce qu'elle avait senti son compagnon se raidir.

— Excusez-moi. Je n'ai pas le droit de vous demander ça. Je vous en prie… Oubliez ce que je viens de dire.

Elle ressentit soudain une impression de froid. Mais elle n'aurait su dire si la cause en était la fraîcheur de la brise nocturne du mois d'avril ou bien le regard glacial de Grayson posé sur elle. Un regard devenu gris et tranchant comme un éclat de glace sur la rivière en hiver.

Cependant, la dureté dans ses yeux s'évanouit aussi vite qu'elle était apparue. Il avait probablement remarqué son frisson car son expression s'adoucit et ce fut d'une voix douce qu'il lui dit :

— Vous avez froid. Nous n'aurions pas dû sortir.

Et avant que Rita n'ait eu le temps de protester, il avait ôté sa veste pour la poser sur ses épaules. Comme elle était sur le point de refuser et de lui proposer de regagner la salle de réception, elle sentit la chaleur du tissu sur la peau nue de ses épaules et de ses bras. C'était la chaleur de Matthew. Puis, elle perçut son odeur. Etre enveloppée dans sa veste lui donnait l'impression d'être dans ses bras. Alors, soudain, elle n'eut plus du tout envie de rentrer. Soudain, elle n'avait plus froid…

— Merci, dit-elle doucement en serrant plus étroitement la veste autour de son corps, savourant la sensation.

Puis, une fois de plus, elle s'excusa.

— Je suis sincèrement désolée, Matthew. Je n'aurais pas dû vous poser cette question. Cela ne me regarde pas.

— Non, ce n'est pas ça, dit-il hâtivement.

Il y avait dans sa voix de l'amertume et aussi une sorte de détachement comme s'il était perdu dans ses pensées.

— C'est juste…

Il poussa un profond soupir.

— C'est arrivé il y a si longtemps qu'on pourrait croire que c'est une affaire classée, que ça ne me fait rien d'en parler…

— Mais ce n'est pas le cas, hasarda doucement Rita.

— Parfois.

— Ecoutez, franchement, ne vous sentez pas obligé d'en parler si vous ne…

— Je me suis fait attaquer par un lion.

L'aveu laissa Rita sans voix, les lèvres légèrement entrouvertes. Elle le dévisagea, l'air incertain. Devait-elle le croire ou n'était-ce qu'une blague ? Elle ne savait sur quel pied danser. Se faire attaquer par un lion… Ce genre d'accident n'arrivait plus de nos jours.

— J'avais dix ans, reprit Matthew. Cet été-là, j'étais parti avec mes parents pour un safari au Kenya. Des vacances de rêve pour un garçonnet de dix ans…

Il parlait à voix basse, les yeux baissés, les poings serrés. Rita comprit qu'il ne s'agissait pas d'une blague. C'était la vérité. Aussi épouvantable soit-elle.

— Une nuit, je me suis éloigné du camp…

Il semblait concentré sur des images du passé qu'il était seul à voir.

— J'avais pourtant été averti des dangers, mais ce soir-là, je regardais le ciel…

Il s'interrompit et leva les yeux vers la voûte étoilée au-dessus d'eux. Il donnait l'impression de la découvrir pour la première fois.

— La nuit était si belle… Ces milliards d'étoiles me fascinaient. J'avançais… Je ne me suis pas rendu compte à quel point je m'étais éloigné du camp. J'étais comme un jeune faon qui se serait écarté du troupeau, ajouta-t-il avec un demi-sourire. Une proie facile.

Son sourire s'évanouit. Il se tourna de nouveau vers Rita.

— Le fauve a surgi de nulle part. C'était une lionne. Quelques secondes auparavant, tout était paisible, silencieux et magique, et dans la seconde suivante…

— Oh, Matthew…, souffla Rita qui n'osait imaginer la terreur et le désarroi de l'enfant qu'il était à cette époque.

— Par chance, les indigènes du camp entendirent mes cris et les rugissements de l'animal. Ils accoururent en hurlant et en agitant des torches. La lionne déguerpit pour disparaître dans la nuit. Malheureusement pour moi, elle avait eu le temps de me lacérer.

Il tourna de nouveau les yeux vers Rita. Anxieux, il semblait guetter sa réaction.

Alors, tout naturellement, elle lui sourit.

— Franchement, je trouve que les chirurgiens ont fait un boulot formidable. Evidemment, la base de départ était bonne. Plus d'une star de cinéma pourrait vous envier votre physique.

— Je ne sais pas, dit-il, gêné. En tout cas, l'histoire en elle-même est presque aussi invraisemblable qu'un mauvais film. J'ai d'ailleurs passé une bonne partie de ma vie à rêver que ce ne soit que du cinéma. Vous savez, ce n'est pas drôle de grandir avec la tête de Frankenstein. Je me rappelle qu'une fois...

Il hésita. Rita sentit sa réticence à se confier davantage. Elle attendit.

Au bout de longues secondes, il se décida enfin à relever les yeux. Avec un soupir, il renversa la tête en arrière et fixa de nouveau le ciel étoilé.

— C'était au lycée. J'étais nouveau car je venais de me faire renvoyer de l'établissement précédent... Une fois de plus. J'étais soi-disant d'un tempérament bagarreur. Entre parenthèses, ce n'était jamais moi qui commençais. Enfin, quoi qu'il en soit, j'arrivais dans une nouvelle école et, comme un idiot, j'espérais que ce serait différent. Il y avait une fille dans ma classe...

Bien que son visage restât de marbre, la voix de Matthew s'était brusquement adoucie, et Rita comprit qu'il se souvenait de ce qui avait dû être son premier grand amour d'adolescent. Elle perçut également sa tristesse quand il ajouta :

— Elle était tellement jolie. Tous les garçons n'avaient d'yeux que pour elle. Elle était la fille dont rêvent tous les adolescents. Pendant les cours, elle se tournait toujours vers moi comme si elle se doutait que je la contemplais. Mais ça n'avait pas l'air de l'embêter. Elle me rendait les regards que je lui jetais. Naturellement, au début, j'étais persuadé qu'elle me regardait pour la même raison que les autres… Parce que j'étais une sorte de monstre…

— Matthew…, commença Rita.

Comprenant que les mots étaient trop futiles pour apaiser, pour changer ces souvenirs-là que même le passage des années n'avait pu effacer, elle avança une main hésitante et la posa sur la sienne. Il ne broncha pas. Ses yeux semblaient avoir plongé dans l'enfer de son abîme intérieur. Il semblait terriblement lointain.

— Cependant, peu à peu, j'éprouvais au fond de moi le besoin de croire que ce n'était pas pour ça, continua-t-il d'une voix faible. J'espérais…

Il haussa les épaules.

— Je ne sais pas ce que j'espérais. Elle semblait différente… Jusqu'à ce qu'un jour, sa meilleure amie s'approche de moi et me dise qu'elle voulait me rencontrer. Qu'elle voulait me parler. Je n'arrivais pas à le croire. J'étais fou de joie. Alors, je suis allé au rendez-vous. Il avait été fixé derrière le gymnase.

Matthew s'interrompit de nouveau. Il prit une lente et profonde inspiration avant de poursuivre d'une voix plus ferme.

— Pour faire court, disons que la fille en question m'attendait bel et bien. En compagnie de son petit ami. Elle me déclara froidement qu'elle ne supportait pas que je la regarde parce que ça la rendait malade. Ensuite, elle laissa son copain, un grand costaud, poursuivre notre discussion. Autant dire qu'après ça, il ne nous restait plus grand-chose à nous dire autrement qu'à coups de poing. Et quelques semaines plus tard, je dus naturellement quitter le lycée.

Bouleversée, Rita le dévisagea tandis qu'il baissait les yeux sur elle pour conclure avec un haussement d'épaules, le visage de nouveau impassible :

— Et voilà, l'un des grands moments de l'existence du monstre.

A ces mots, Rita sentit quelque chose chavirer en elle. Ce n'était pas possible. Il ne pouvait se juger ainsi… Sa réaction fut quasi instinctive.

— Vous n'avez pas le droit de parler de vous de cette façon, protesta-t-elle doucement. Vous n'êtes pas un monstre.

Matthew éclata brusquement de rire. Un rire sans joie.

— Vraiment ?

Chez certaines personnes, ce « vraiment » aurait pu indiquer un certain scepticisme, une manière polie de manifester des doutes. Venant de Matthew, à ce moment-là, il semblait n'exprimer qu'un sentiment de défaite.

— J'ai pourtant l'impression que c'est ce que tout le monde dit de moi à l'hôpital, observa-t-il platement.

— Ce n'est pas à cause des cicatrices, voulut aussitôt rectifier Rita. C'est à cause de votre comportement et…

Elle s'interrompit, brusquement consciente qu'elle venait de lui confirmer ce dont il se doutait.

— Là n'est pas la question, bredouilla-t-elle. Vous… Vous n'avez aucune raison de parler de vous comme d'un monstre.

Et comme si elle avait voulu le lui prouver, elle leva la main et la tendit vers le visage de Matthew. Une fraction de seconde, elle hésita avant de poser ses doigts sur les cicatrices.

Surpris, il rejeta brusquement la tête en arrière comme s'il avait peur du contact. Mais Rita avança sa main pour effleurer du bout des doigts les sillons qui marquaient le beau visage de l'homme qui lui faisait face. Et cette fois, Matthew se laissa faire.

— Vous n'êtes pas un monstre, insista-t-elle. Vous êtes…

Les yeux verts plongèrent dans les siens, et Rita prit conscience que Matthew était tout proche. Leurs corps n'étaient plus séparés que par quelques centimètres.

Lentement, il leva sa main et couvrit celle de la jeune femme toujours posée sur sa joue.

— Je suis quoi ? demanda-t-il d'une voix à peine audible.

Mue par une force irrésistible, totalement indépendante de sa volonté, Rita se rapprocha encore de lui.

— Vous… Vous êtes, balbutia-t-elle de nouveau.

Mais les mots ne venaient pas. Elle ne trouvait pas de mot pour décrire le Dr Grayson. Sans doute parce que d'une certaine façon, il était… indescriptible. Mais aussi parce qu'il était tellement, *tellement* désirable. Et qu'en la regardant ainsi, il faisait naître en elle un tourbillon d'émotions qui obscurcissait sa raison.

Sans s'en rendre compte, obéissant uniquement à son cœur, Rita se dressa sur la pointe des pieds et pressa légèrement ses lèvres contre celles de Matthew. Au moment où leurs bouches entrèrent en contact, elle sentit quelque chose exploser en elle. Elle éprouva une sensation de chaleur dans tout le corps. Une sensation immédiate, si intense, si stupéfiante, qu'elle recula brusquement comme si ses lèvres avaient effleuré un fer chauffé à blanc.

Ce n'était rien d'autre qu'un baiser amical, tenta-t-elle de se persuader tout en ayant l'impression que la terre venait de se dérober. Il n'y avait rien de mal à cela. Absolument rien.

— Vous n'êtes pas un monstre, Matthew, insista-t-elle une dernière fois.

Puis, comme si elle avait peur de ce qui pourrait arriver s'ils restaient seuls une minute de plus, elle s'écarta précipitamment avant d'ajouter :

— Nous devrions rentrer. Tout compte fait, il fait plutôt froid, vous ne trouvez pas ?

Et comme elle lui tournait le dos sans attendre sa réponse, elle se fit l'effet d'une froussarde, d'une poule mouillée. Pas seulement parce qu'elle avait peur du « qu'en dira-t-on » — les

Barone se réjouissaient certainement de l'avoir vue s'éclipser en compagnie d'un séduisant chirurgien ; mais parce qu'en réalité, elle ne s'était jamais sentie aussi troublée. Et que, soudain, la profondeur inouïe de son émotion la déroutait.

5.

Pour autant qu'elle s'en souvînt, Rita eut l'impression que le reste de la soirée n'aurait pas de fin.

Avec cet air radieux qu'ont les jeunes filles parfaitement éduquées, elle s'était efforcée de se montrer sociable, spirituelle et enjouée, souriant infatigablement aux uns et aux autres, en dépit du regard vert de Matthew qu'elle sentait rivé sur elle. Un regard vert qui l'examinait et la faisait frissonner de la tête aux pieds. Comment était-il possible qu'un simple baiser déposé sur les lèvres de cet homme la chamboule à ce point ?

De retour dans la salle de réception, d'un mutuel accord silencieux, aucun d'eux n'avait mentionné l'incident du baiser. Mais pour autant, ils n'osaient se regarder dans les yeux tant leur embarras était palpable, sauf bien entendu quand leurs regards se croisaient accidentellement.

Et tout en distribuant ses sourires, Rita avait désespérément tenté de se persuader que ce baiser n'était rien de plus qu'une simple marque d'amitié, au pire de tendresse.

Ce soir, en l'écoutant lui confier ce qui lui était arrivé, elle avait entr'aperçu le petit garçon cruellement blessé et terrorisé qui se cachait sous le masque froid et arrogant du jeune chirurgien. L'expérience qu'il avait vécue était particulièrement effroyable. Les blessures physiques en elles-mêmes avaient dû être insupportables. Mais ce qu'avait dû être sa souffrance morale tandis qu'il grandissait sous les regards moqueurs ou effarés, Rita n'osait le concevoir.

En revanche, elle comprenait mieux à présent l'attitude farouche de Matthew avec ses semblables. Elle n'était destinée qu'à les maintenir à une distance tolérable. Et derrière le mur d'orgueil et d'autodiscipline qu'il avait si soigneusement édifié autour de lui, se tapissait en réalité une terrible solitude.

Alors, dans un élan spontané, elle avait voulu lui prouver par un baiser que ses cicatrices ne faisaient pas de lui un monstre. Bien au contraire… Elle avait voulu lui prouver que ses cicatrices ne l'effrayaient pas et qu'elles n'enlevaient rien à son pouvoir de séduction.

Mais ce n'était pas seulement ça…

La véritable raison de ce baiser, Rita n'osait la formuler clairement.

Elle savait en son for intérieur qu'il s'agissait d'un sentiment plus fort que l'amitié, plus fort que la compassion. Elle avait embrassé Matthew parce qu'il l'attirait. Parce qu'il la fascinait. Parce qu'il l'émouvait. Parce qu'il la ravissait. Et cela ne datait pas seulement d'aujourd'hui. Ça faisait déjà un petit bout de temps que le jeune médecin occupait ses pensées. Mais il avait fallu cette soirée, ce moment d'intimité sur la terrasse, pour qu'elle comprenne qu'elle était tombée sous son charme à l'instant même où ils avaient commencé à travailler ensemble.

Oui, elle avait embrassé Matthew Grayson parce qu'elle en était tout simplement amoureuse.

Et c'était la profondeur même de ce sentiment qui l'effrayait.

Qu'adviendrait-il si elle ne parvenait pas à maîtriser cette émotion qui lui brûlait le corps et l'esprit dès qu'elle croisait le regard de Matthew ? N'avait-elle pas déjà été échaudée dans le passé par ses amours d'adolescente ?

Cette fois-ci, tant de choses étaient en jeu. En premier lieu, sa carrière d'infirmière…

Malgré son jeune âge, Grayson avait déjà été désigné par ses pairs comme le futur chef du service de cardiologie. Comment pouvait-elle désormais espérer conserver des rapports professionnels normaux avec lui ?

Alors, durant tout le reste de la soirée, Rita avait persisté dans sa tentative de se convaincre que d'ici à lundi matin, quand elle reprendrait son service à l'hôpital, ce baiser serait oublié. Il n'y avait vraiment pas de quoi fouetter un chat, se répétait-elle en boucle, tandis qu'une petite voix lui soufflait que la vibration qu'ils avaient tous deux ressentie — Matthew aussi, elle en était certaine — ne devait rien à la fraîcheur de la nuit et à l'amitié. C'était comme s'ils avaient brutalement pris conscience l'un de l'autre. Et ce sentiment n'était pas de ceux qui disparaissaient aussi facilement avec le temps…

— Nous devrions peut-être partir, suggéra Rita un peu après minuit quand elle réalisa que bon nombre d'invités s'apprêtaient à prendre congé de leurs hôtes.

Elle chercha Maria des yeux et fut surprise de constater que celle-ci s'était déjà éclipsée. Plus étonnant encore, elle s'aperçut après coup que sa sœur cadette n'avait même pas pris la peine de se faire accompagner par un petit ami. Là, c'était un peu fort ! Tout compte fait, c'était elle qui l'avait mise dans cette situation impossible en lui forçant la main pour inviter Matthew Grayson.

— Je peux prendre un taxi, proposa ce dernier, manifestement aussi gêné qu'elle par ce qui s'était passé sur la terrasse un peu plus tôt dans la soirée.

Et visiblement désireux de prendre ses distances aussi rapidement que possible, dès que les convenances le permettraient.

— Oh, ce n'est pas nécessaire, protesta cependant Rita qui ne voulait surtout pas donner à l'incident plus d'importance. Il est prévu que le chauffeur nous reconduise tous les deux chez nous. Autant en profiter.

Elle n'avait pas plutôt prononcé ces derniers mots, qu'elle eût souhaité les ravaler. Elle donnait l'impression de vouloir saisir l'occasion pour tout autre chose…

Et Matthew pensait manifestement à la même chose, constata-t-elle avec embarras quand elle osa lui glisser un coup d'œil à la dérobée.

Une légère rougeur semblait avoir enflammé ses joues, et ses yeux verts paraissaient s'être assombris. Heureusement, il s'abstint de tout commentaire, se contentant d'un geste vague de la main en direction de la sortie. Puis, comme si de rien n'était, il lui prit le coude.

De peur qu'il ne la prenne pour une froussarde si elle ne le faisait pas, et peut-être aussi parce qu'elle en mourait d'envie, Rita passa son bras sous le sien. Et c'est bras dessus, bras dessous, qu'ils regardèrent les portes de l'ascenseur se refermer sur eux.

Ils restèrent silencieux, le regard rivé sur le panneau d'affichage des numéros d'étages qui s'allumaient et s'éteignaient tout au long de la descente.

Quand les portes se rouvrirent, toujours sans un mot, ils traversèrent l'immense hall d'entrée, franchirent les larges portes vitrées pour s'avancer vers l'interminable file de limousines mises à la disposition des différents membres du clan Barone afin de les raccompagner dans leurs foyers respectifs.

Un chauffeur se précipita pour ouvrir la portière à Rita qui s'installa sur la banquette arrière, suivie de Matthew. Lorsque la portière se referma derrière eux, la jeune femme sentit la nervosité la gagner.

Pour la première fois, depuis leur baiser, ils étaient seuls…

Une épaisse vitre teintée les séparait du chauffeur. Ils étaient complètement isolés. Et l'atmosphère était intime. Bien plus intime que sur la terrasse où n'importe qui aurait pu les surprendre à tout moment.

Rita jeta un coup d'œil à la dérobée sur l'homme assis à côté d'elle, incroyablement séduisant dans son smoking.

— Allez-vous vous décider à en parler, ou faut-il que je le fasse ?

La voix grave et profonde de Matthew avait tranché l'obscurité telle la lame aiguisée d'un couperet. Rita sursauta.

— Parler de quoi ? demanda-t-elle innocemment.

En prétendant ne pas comprendre ce à quoi il faisait allusion, elle espérait qu'il mordrait à l'hameçon et abandonnerait le sujet.

Malheureusement, c'était mal le connaître.

— C'est donc moi qui vais le faire, répondit-il doucement.

— Faire quoi ?

— Parler de ce qui s'est passé sur la terrasse, ce soir, déclara simplement Matthew. Vous... En train de m'embrasser.

Comme elle ouvrait la bouche pour nier ou du moins préciser qu'ils étaient deux à s'être embrassés, Rita comprit que ce serait se mentir à elle-même. Même si Grayson n'avait rien fait pour l'en empêcher, force était de reconnaître que c'était elle qui avait commencé. Elle qui portait la responsabilité de ce qui s'était passé entre eux. C'était elle, la première, qui l'avait embrassé.

— Je... Je ne sais pas ce qui m'a pris, mentit-elle avec un timide haussement d'épaules. C'est juste que... sur le moment, ça m'a semblé naturel.

Matthew resta silencieux. Lentement, Rita tourna la tête vers lui. L'obscurité masquait ses traits et elle n'aurait su dire s'il était furieux ou tout simplement gêné. Mais quand la limousine passa sous un lampadaire, l'espace d'une fraction de seconde, son visage apparut en pleine lumière. Il paraissait... perplexe.

Oui. C'était bien cela. Perplexe.

Rita ne savait pas au juste ce à quoi elle s'attendait, mais certainement pas à ça de la part d'un homme qui avait toujours réponse à tout. Pourtant, ce soir, ce qui s'était passé entre eux le laissait visiblement déconcerté.

Ils se trouvaient donc sur un pied d'égalité, en conclut-elle un peu hâtivement.

Jusqu'à ce qu'il dise :

— Et si c'est *moi* qui vous embrasse, qu'arrivera-t-il ?

Prise de court, Rita ouvrit la bouche, puis la referma tandis qu'une fois de plus, une étrange chaleur irradiait tout son corps. Ce n'était pas seulement la question elle-même qui la surprenait, mais plutôt la façon dont Matthew avait parlé. Il avait prononcé ces mots comme s'il avait réellement l'intention de passer à l'acte.

Elle déglutit péniblement.

— Hum, pourquoi… Pourquoi voudriez-vous faire ça ? réussit-elle à bredouiller.

Dans la pénombre, elle devina son léger haussement d'épaules tandis qu'il lui répondait :

— Parce que cela me semble naturel à moi aussi.

Comme il disait cela, elle le sentit se rapprocher.

Ses lèvres effleurèrent les siennes. Il avait posé une main sur sa nuque. Subjuguée, Rita savoura confusément la chaleur de ses doigts sur sa peau. Elle sentait les battements furieux de son cœur.

Elle savait que c'était folie de s'abandonner au pouvoir que cet homme exerçait sur elle, elle savait qu'elle aurait dû l'arrêter, mais elle en était incapable.

Il n'y eut dans le baiser de Matthew aucune timidité, aucune hésitation. Quand il couvrit sa bouche de la sienne, ce fut avec une tranquille détermination. Il s'était emparé de ses lèvres comme un homme le fait avec la femme qu'il désire.

Jamais personne n'avait embrassé Rita ainsi. Non pas qu'aucun homme ne l'eût jamais embrassée, mais tout simplement, parce qu'avec Matthew…, c'était différent.

Elle le désirait tellement. Contre toute logique… Contre toute raison…

Elle sentit les doigts de son compagnon glisser de sa nuque vers sa mâchoire, lui intimant silencieusement d'ouvrir sa bouche pour lui.

Elle se rendit.

Elle écarta les lèvres et lui permit d'en explorer les contours. Il approfondit son baiser. Sa langue se mit à savourer, à explorer la douceur de sa bouche. Sous la caresse, Rita sentit l'onde de chaleur irradier ses reins pour remonter jusqu'à la pointe de ses seins. Instinctivement, elle glissa les bras dans le dos de Matthew, s'arrima à lui, et sentit comme son corps était dur et puissant.

A travers la barrière des vêtements, elle sentait sa chaleur se mêler à la sienne. Elle percevait les battements sourds de son cœur, ses mains à la fois douces et fermes sur sa taille. Elle percevait chaque frémissement de ses muscles tandis qu'il la plaquait contre lui. Les courbes de leurs corps s'épousaient parfaitement… Comme s'ils étaient faits l'un pour l'autre, songeat-elle confusément. Et puis, il y avait cette sensation étrange qui la submergeait, telle une vague d'euphorie. Alors, laissant errer ses doigts dans les cheveux de son compagnon, elle répondit à son baiser avec toute la générosité dont elle était capable. A son tour, sa langue pénétra lentement, langoureusement la bouche de Matthew, goûtant sa saveur. Le gémissement rauque qu'elle lui arracha la combla et la rendit audacieuse.

Elle n'était pas certaine d'être seule responsable de ce qui se passa par la suite. Mais, d'une façon ou d'une autre, elle se retrouva assise sur les genoux de Matthew. Elle avait perdu l'un de ses escarpins, mais elle s'en moquait éperdument. Elle se débarrassa d'ailleurs de l'autre dans ce qui lui parut un premier geste pour se déshabiller. Car, subitement, elle avait envie de libérer son corps de la barrière des vêtements. Pire, elle avait également envie de libérer celui de Matthew. Elle éprouvait soudain un besoin presque douloureux et irrésistible de le toucher, de sentir sa peau contre la sienne.

Et lui, de son côté, semblait en avoir tout autant envie qu'elle, se dit-elle en sentant ses mains glisser lentement de sa taille vers ses hanches, puis le long de ses cuisses, et s'immobiliser à la hauteur de l'ourlet de sa petite robe noire. Tout en continuant de l'embrasser, ses doigts remontèrent sous sa robe, millimètre par millimètre, caressant ses jambes gainées de soie jusqu'à ce qu'ils rencontrent le porte-jarretelles.

— Portez-vous réellement ce que je crois que vous portez ? murmura-t-il.

Incapable de proférer un son, Rita se contenta de hocher la tête en guise de réponse.

Pendant un long moment, il la contempla en silence. Puis, imperceptiblement, il caressa doucement du pouce la peau nue de sa cuisse. Et pour Rita, chaque effleurement était comme une petite extase. Elle avait l'impression que s'il n'arrêtait pas immédiatement, elle allait finir par devenir folle.

Quand il glissa ses doigts sous la dentelle, elle ne put réprimer un gémissement de plaisir.

— J'ai toujours cru comprendre, murmura Matthew en tirant gentiment sur le porte-jarretelles, que les femmes utilisaient ce genre d'accessoire uniquement pour… exciter leur partenaire. En tout cas, c'est la première fois que j'en fais l'expérience…, ajouta-t-il doucement.

L'aveu stupéfia Rita. En dépit des cicatrices qui marquaient son visage et de sa froideur, elle avait toujours vu en lui un séducteur, un homme à femmes. D'ailleurs, la façon dont il s'emparait de nouveau de ses lèvres ne faisait que confirmer cette première impression. Puis, comme la bouche de son compagnon se faisait plus exigeante, elle fit taire ses interrogations pour jouir seulement du plaisir de se sentir étreinte, de se sentir désirée…

Quelque part au fin fond de sa conscience subsistait la pensée qu'ils étaient dans une limousine qui traversait Boston. Mais cela ne faisait qu'ajouter à la vague d'excitation qui la submergeait. Et quand, à bout de souffle, elle croisa le regard vert de Matthew, elle comprit que cette excitation était partagée.

Alors, n'obéissant qu'à ses émotions, elle se redressa légèrement, le temps de descendre elle-même la fermeture Eclair de sa robe.

Tout d'abord, il ne sembla pas comprendre ce qu'elle faisait. Mais quand elle fit glisser les bretelles de sa robe sur ses épaules, il planta son regard droit dans ses immenses yeux noirs. Puis, sans un mot, lentement, il leva les mains et caressa sa poitrine à travers la dentelle du soutien-gorge. D'un mouvement à peine perceptible, il dénuda un sein qu'il emprisonna au creux brûlant de sa paume. Sous ses doigts, il sentit le mamelon durcir, comme en réponse au gonflement de sa virilité, aux battements lancinants de son pouls.

Rita ferma les yeux, entièrement absorbée par les sensations qu'il déclenchait en elle. Elle ne put retenir un cri étouffé quand il prit la pointe de son sein dans sa bouche et se mit à tracer avec sa langue des arabesques auxquelles succédaient de petits coups de dents qui menaçaient de la rendre folle.

— Emmène-moi chez toi, souffla-t-elle tandis qu'il effleurait de ses lèvres la pointe de l'autre sein.

Elle ne savait pas ce qui lui avait pris de demander cela. Elle n'était consciente que d'une seule chose ; elle ne voulait pas le laisser partir. Pas après le feu d'artifice qu'il venait de déclencher en elle. Elle voulait, elle avait besoin de rester avec lui. Besoin de savoir tout ce qu'il était capable de lui faire ressentir.

— S'il te plaît, Matthew…, insista-t-elle, les doigts crispés dans ses cheveux tandis qu'il promenait sa bouche humide et chaude sur sa gorge. Laisse-moi rester avec toi…

Tout doucement, Matthew s'écarta, et quand elle rouvrit les yeux, elle vit son regard posé sur elle. Un regard vert impénétrable.

— Tu es certaine que c'est ce que tu veux ? demanda-t-il doucement.

Rita hocha la tête.

En réalité, elle n'était plus très sûre de savoir ce qu'elle voulait vraiment. Tout avait basculé si vite. Elle s'était toujours promis que, la première fois qu'elle ferait l'amour, ce serait avec un homme exceptionnel. Et Matthew était cet homme. Il était un être exceptionnel à bien des égards. Pour preuve, il avait déclenché en elle des sensations extraordinaires dont elle n'avait jamais soupçonné l'existence. Et puis, surtout, il ne ressemblait à aucun autre. Il était… Eh bien, il était tout ce dont une femme peut rêver. Séduisant, distingué, cultivé et terriblement sexy. Il lui faisait perdre la tête…

Il serait un amant attentionné, se dit-elle en préférant s'abstenir de songer au nombre de femmes qu'il avait tenu dans ses bras pour se concentrer uniquement sur ce qui venait de se passer entre eux, à la façon dont il l'avait caressée, dont il avait excité son désir. Elle avait le sentiment que Matthew serait doux avec elle. C'était ce qu'elle désirait. Ce dont elle avait besoin. Pour cette première fois…

— Il faut que tu sois sûre, Rita, souffla-t-il. N'attends pas que nous soyons chez moi pour m'arrêter. Tu comprends ?

Elle hocha de nouveau la tête.

Alors, lentement, délicatement, il effleura sa joue du bout des doigts.

— Je verrouillerai la porte et nous passerons la nuit entière à faire l'amour, insista-t-il comme s'il lui donnait une dernière chance de reprendre ses esprits. Ensuite…

Il ne termina pas sa phrase, mais se contenta de regarder Rita posément, droit dans les yeux.

Elle soutint son regard, partagée entre crainte et espoir.

Devait-elle comprendre qu'après cette nuit, il n'y aurait rien de changé entre eux ? Ou bien qu'au contraire, plus rien ne serait comme avant ?

Elle ne le connaissait pas encore assez bien pour lire dans ses pensées. Mais en cet instant précis, tout ce qui comptait, c'était ce qu'elle s'apprêtait à vivre avec lui.

Elle le désirait comme elle n'avait jamais désiré aucun autre homme.

Alors, bien qu'en son for intérieur elle ne fut pas certaine d'avoir compris quoi que ce soit, éperdue de désir, elle murmura :

— Emmène-moi…

6.

Matthew hocha lentement la tête. Tendrement, il caressa la joue de la jeune femme lumineuse qui s'offrait à lui sans détour, en toute simplicité.

— Nous sommes bientôt arrivés, murmura-t-il en s'inclinant sur son sein pour en goûter la pointe une dernière fois, avant de rajuster à contre-cœur la dentelle du soutien-gorge.

Calmement, il remonta les bretelles sur ses épaules. Tremblante, Rita quitta ses genoux pour s'asseoir à côté de lui à l'instant même où la limousine ralentissait. Elle n'eut que le temps de tirer sur l'ourlet de sa robe et d'enfiler ses escarpins avant que le chauffeur n'ouvre la portière.

Matthew sortit avec sa dignité et son élégance habituelles, et nul n'aurait pu deviner que cet homme-là, quelques secondes plus tôt, faisait gémir de plaisir une femme sur la banquette arrière en taquinant ses seins avec sa bouche. De son côté, Rita sortit chancelante, les jambes encore flageolantes de ce qui venait de se passer entre eux, et encore plus tremblantes à l'idée de ce qui allait suivre.

Son compagnon sembla deviner son état d'agitation intérieure, car il passa le bras autour de ses épaules et la tint serrée contre lui, le temps qu'elle explique au chauffeur que le Dr Grayson la ramènerait chez elle après un dernier verre. Elle n'était pas certaine que l'explication soit crédible aux yeux du brave homme au service de ses parents depuis plus de trente ans, mais franchement, elle s'en moquait éperdument. Elle avait d'autres choses plus importantes à penser.

Matthew ouvrit la porte d'entrée. Puis, il s'écarta pour laisser passer Rita la première. Il franchit aussitôt le seuil derrière elle et referma la porte qu'il prit soin de verrouiller comme il l'avait promis. Après quoi, il s'avança vers la jeune femme immobile au milieu du hall et l'attira vers lui.

Cette fois, son baiser fut brûlant, possessif et exigeant. Il n'y avait rien dans ce baiser qui puisse faire penser à Rita que les choses iraient doucement, lentement…

Elle sentait déjà ses doigts qui tiraient sur la fermeture Eclair de sa robe. Une fraction de seconde plus tard, il la faisait glisser le long de ses hanches. L'agrafe du soutien-gorge ne lui demanda guère plus de temps. Et Rita put enfin sentir ses doigts qu'il faisait courir le long de son dos en un langoureux va-et-vient, comme s'il tentait d'en explorer chaque détail.

A son tour, elle entreprit de le déshabiller. Les mains tremblantes, elle dénoua sa cravate et déboutonna fébrilement les boutons de sa chemise. Dans un même mouvement, elle fit glisser de ses épaules la veste de smoking et la chemise qui tombèrent sur le sol.

A présent, ils se tenaient dans le hall d'entrée, immobiles, face à face, à moitié nus, le souffle court.

Une lampe restée allumée dans le salon diffusait une faible lumière. Les yeux écarquillés, Rita contemplait Matthew. Il avait un corps magnifiquement proportionné, des épaules larges, des hanches étroites. Sous sa peau bronzée, les muscles se dessinaient souples et puissants. Elle l'avait entendu parler de ski en hiver et de tennis en été. A n'en pas douter, il avait un physique d'athlète. La légère toison brune qui couvrait son torse allait s'amenuisant sur son ventre.

Sans un mot, elle tendit les bras et, du bout des doigts, suivit la ligne de ses épaules, descendit le long de ses biceps, de ses bras, jusqu'à ses mains qu'il avait posées sur sa taille. Puis, elle refit le chemin en sens inverse.

Sa main s'immobilisa sur l'épaule gauche. Elle avait senti sous ses doigts le profond sillon d'une cicatrice. Elle se souvint alors de ce qu'il lui avait dit à propos de son épaule et de son dos qui avait subi le plus gros de l'attaque. Elle referma sa main sur l'épaule.

— Ne fais pas ça, dit-il doucement en tentant de se dégager.

Mais Rita suivit son mouvement, refermant de nouveau ses doigts sur la peau blessée.

— Laisse-moi regarder, Matthew, protesta-t-elle doucement.

Il secoua la tête.

— Les femmes ne réagissent pas forcément bien à la vue de mes cicatrices, déclara-t-il d'une voix calme mais décidée.

Rita jugea préférable de ne pas insister afin de ne pas gâcher ces premiers moments d'intimité qu'ils découvraient ensemble. Tout ce qui comptait, c'était le moment présent, ce qu'ils s'apprêtaient à vivre dans les bras l'un de l'autre. Rien n'existait plus hormis cet instant. Et puis… Il y aurait d'autres nuits. Elle n'était pas une fille volage qui cherche l'aventure d'un soir. Et Matthew n'allait pas tarder à s'en apercevoir.

Cependant une question ne cessait de lui tarauder l'esprit. Un peu honteuse, elle tenta de se persuader que ce n'était que de la curiosité et non de la jalousie quand les mots franchirent ses lèvres.

— Combien de femmes as-tu séduites dans cette maison, Matthew ?

N'osant le regarder dans les yeux tandis qu'elle posait la question, elle resta le regard rivé sur son épaule, ses doigts dessinant légèrement les contours irréguliers de la cicatrice.

Matthew écarta sa main. Une seconde, elle crut qu'il allait la repousser. Mais non… Lentement, il porta sa main à ses lèvres et déposa un baiser dans sa paume.

— Pas autant que tu sembles le croire, lui répondit-il.

S'armant de courage, Rita affronta son regard et devina qu'il était sincère.

— Je ne sais pas pourquoi, j'imaginais qu'un homme comme toi…

Il l'interrompit brusquement en passant un bras autour de sa taille pour l'attirer contre lui et la faire taire d'un baiser.

Alors, pour Rita, la terre chavira. Elle sentit ses jambes flageoler, son pouls s'accélérer, son cœur cogner furieusement. Un frisson la parcourut tout entière, éveillant ses sens. Et elle se mit à répondre à l'ardeur du baiser de son compagnon. Elle passa les bras autour de son cou, et sa langue se mit à jouer timidement avec la sienne.

Lentement, sans cesser de s'embrasser, ils se dirigèrent vers le salon. La pièce était décorée avec raffinement, nota confusément la jeune femme. Des canapés en cuir, un lumineux tapis d'Orient, un mur couvert de livres, une vieille horloge qui rythmait le temps, des bronzes, et une grande toile figurant une chasse à courre. Les couleurs dominantes étaient minérales, le rouge, le noir et l'ocre. Assurément, le propriétaire des lieux était un homme de goût.

Elle sentit ses genoux heurter le bord d'un canapé. A présent, Matthew l'avait prise par les hanches et s'inclinait pour embrasser ses seins.

Rita ferma les yeux. Il n'y avait rien qu'eux, se dit-elle. Il n'était plus temps de calculer les conséquences, de songer à l'avenir, à ce qui était bien ou mal, car rien — absolument rien — n'existait que cet instant.

Sentant contre son ventre la preuve du désir violent que Matthew éprouvait pour elle, elle s'enhardit. Avec une impatience tout à la fois mêlée de crainte et d'hésitation, elle fit courir ses mains le long de son torse, le long de son ventre. Ses doigts tremblants, comme mus par une volonté propre, descendirent la fermeture Eclair de son pantalon. Et elle retint son souffle quand ils rencontrèrent son sexe dur et chaud.

Matthew réprima un gémissement. Saisissant le visage de Rita entre ses mains, il plongea ses yeux dans les siens avant de s'emparer de nouveau de ses lèvres avec avidité. Puis, ses mains se firent audacieuses. Elles descendirent le long de ses reins.

— Je ne peux attendre plus longtemps, Rita, murmura-t-il. J'ai trop envie de toi. Laisse-moi te faire l'amour maintenant. Je te le promets, nous prendrons tout notre temps après.

Son murmure était aussi âpre que ses mains étaient douces. Rita acquiesça et se laissa renverser sur les coussins du canapé, s'abandonnant totalement au désir qui cognait en elle comme les vagues contre le roc.

Il l'embrassa de nouveau, plus profond, plus fort, lâchant les rênes à cette faim qui faisait rage en lui. Elle pouvait le sentir à ses muscles, à la chaleur qui émanait de lui. Elle pouvait le sentir dans sa bouche. Sa langue se pressait contre la sienne alors même qu'il glissait une main entre ses jambes.

En sentant ses doigts s'aventurer dans les plis intimes de sa chair, Rita se sentit envahie par une sensation étrange. Sa respiration devint saccadée et le gémissement qui monta de sa gorge fit sourire Matthew. Avec audace, il poursuivit son exploration. Rita frissonna en même temps que les doigts vagabonds trouvaient le point sensible. La caresse se fit plus insistante. Et le plaisir qui déferla en Rita fut si violent qu'elle rejeta la tête en arrière, tout entière absorbée par les sensations qui l'étourdissaient, la désorientaient. Pour rien au monde, elle n'aurait voulu que cela s'arrête...

Matthew glissa un doigt en elle.

— Tu es si étroite, murmura-t-il dans son cou sans cesser de la caresser. Dis-moi, Rita, tu n'as pas dû faire ce genre d'exercice trop souvent...

Incapable d'une pensée cohérente, elle ne put qu'acquiescer d'un faible hochement de tête.

Elle le vit sourire. Un sourire tendre et amusé, comme si quelque part son inexpérience le soulageait.

Puis, il s'empara de nouveau de sa bouche, comme si sa vie en dépendait. Et sans cesser de l'embrasser, il lui ouvrit les cuisses et s'agenouilla entre ses jambes. Elle était si étroite, tous ses muscles tendus, songea-t-il confusément en sentant le sang bouillonner dans ses veines.

Partagée entre crainte et désir, entre plaisir et douleur, effrayée de sentir cette pression douce mais inexorable, cette sensation qui l'atteignait au plus profond de son être, violait l'intimité de sa chair tendre, Rita avait fermé les yeux.

— Regarde-moi, murmura-t-il en prenant son visage entre ses mains.

Subjuguée, elle obéit. Elle plongea dans ses yeux verts. Alors, il la posséda, lentement et puissamment, non sans avoir hésité en se heurtant en elle à quelque chose qui résistait et qu'il déchira quand il la prit toute.

La douleur fulgurante stupéfia Rita et lui arracha un cri. Des larmes franchirent la barrière de ses cils. Elle ne s'était pas attendue à cette brûlure cuisante et si intense.

Matthew se figea. Puis, lentement, il se retira et l'aida à se redresser sur le canapé.

Assis, face à elle, il la dévisagea un long moment sans dire un mot.

Il semblait mécontent. Ses yeux avaient pris la couleur de l'orage. Peu à peu, cependant, son expression s'adoucit. Il leva la main vers le visage de la jeune femme et délicatement, du bout des doigts, essuya une larme qui avait roulé sur sa joue.

Sa voix était pourtant sévère quand il dit :

— Pourquoi m'avoir caché que tu étais vierge ?

Effrayée qu'il puisse la repousser, lui demander de se rhabiller et de partir, frustrée parce qu'elle venait à peine de goûter au plaisir qui pouvait exister entre un homme et une femme, et qu'elle mourait d'envie d'aller plus loin, encore plus haut dans l'intensité, certaine, enfin, que la douleur avait été d'autant plus violente qu'elle n'y était pas vraiment préparée, et que ce serait forcément mieux la prochaine fois, Rita s'entendit demander d'une voix hachée :

— Cela fait-il une… une différence ?

— Rita…, soupira Matthew.

Puis, comme il faisait mine de s'écarter, elle le retint en posant une main sur son épaule.

— Non, chuchota-t-elle. Je t'en supplie… Je veux faire l'amour avec toi.

— Mais…

— Je t'en prie, insista-t-elle en s'efforçant de maîtriser le tremblement dans sa voix. D'accord, c'est la première fois, mais ce n'est pas une raison pour me repousser.

Silencieux, Matthew la dévisagea un long moment, visiblement indécis.

— Je ne veux pas te faire de mal, finit-il par dire.

Rita secoua la tête.

— Tu ne me feras aucun mal, assura-t-elle d'une voix plus ferme.

— C'est pourtant ce que je viens de faire.

— Le pire est passé, souffla-t-elle. Si tu fais doucement, tout ira bien. Ce sera merveilleux… S'il te plaît…

Elle retint son souffle.

L'estomac noué, la bouche sèche, les mains tremblantes, elle attendit.

Matthew la regardait fixement. L'incertitude se lisait sur ses traits tirés par le désir. Son regard s'égara sur la peau laiteuse de sa gorge avant de revenir vers son visage comme s'il cherchait une réponse à ses interrogations.

Puis, lentement, très lentement, il tendit la main et lui effleura le cou, caressant au passage une boucle de cheveux qui reposait sur sa poitrine. Le contact de ses doigts la fit frémir.

— Je dois avoir perdu la raison, murmura-t-il dans un souffle comme il inclinait la tête pour s'emparer tendrement de ses lèvres.

Et sans cesser de l'embrasser, il glissa doucement au cœur de son intimité. Rita tressaillit. Il s'immobilisa.

— Continue, souffla-t-elle dans son cou.

— Tu es sûre ? réussit-il à articuler entre ses dents serrées.

— Oui.

S'exhortant au calme, Matthew s'attarda en elle afin de lui laisser le temps de s'habituer à le sentir en elle. Afin que leurs corps s'apprivoisent. Puis, doucement, il s'enfonça plus profondément avant de se retirer presque entièrement. Il s'enfonça de nouveau, lentement toujours, comme s'il cherchait à s'accorder à elle.

Il ne précipitait rien et, bientôt, la douce friction de leurs corps fit naître en Rita une étrange extase, une sensation nouvelle et inconnue qu'elle ne pouvait ni ne voulait réprimer. Elle s'arc-bouta contre lui, partageant d'instinct sa fièvre. Elle avait perdu sa maladresse avec son innocence et se laissait entraîner par le désir. La respiration rauque et haletante de son amant faisait écho aux furieux battements de son propre cœur, et une ardeur violente et folle les emportait tous les deux. Confondus dans un même tourbillon de passion, leurs corps étaient plongés dans un brasier qui consumait jusqu'à leur âme. Et soudain le plaisir fut si intense que tous deux n'eurent plus la force que de fermer les paupières et de se laisser emporter par les spasmes de l'amour.

Ils restèrent enlacés, à bout de forces, hors d'haleine, peau contre peau, en sueur. Il leur fallut de longues minutes pour redescendre de ce nuage de jouissance qui les faisait naviguer loin de la réalité. De longues minutes où leurs têtes continuèrent à tourner.

Lorsqu'un peu plus tard Matthew bascula sur le côté, Rita se nicha étroitement contre lui. Elle n'avait jamais été aussi heureuse. Elle n'osait parler de peur de rompre la magie de l'instant.

Au bout d'un moment, cependant, elle entendit Matthew lui demander doucement :

— Pourquoi ne m'as-tu pas dit que c'était la première fois… ?

Rita ferma les yeux. Elle savait qu'il attendait une réponse.

— Tu ne me l'as pas demandé… Je ne pensais pas que c'était important, murmura-t-elle.

Comme Matthew restait silencieux, elle leva les yeux sur lui. Il la regardait, l'air stupéfait.

— Tu ne pensais pas que c'était important ?

Vaguement inquiète, Rita confirma d'un bref mouvement de tête.

Puis, réalisant brusquement que ce qu'elle venait de dire pourrait être mal interprété, elle voulut rectifier sa bévue. Elle voulut lui dire que c'était important pour *elle*, bien sûr. Mais qu'elle ne pensait pas que le fait qu'elle soit vierge puisse changer quoi que ce soit pour *lui*.

— Eh bien… oui, répondit-elle, l'esprit encore chamboulé, incapable d'exprimer exactement le fond de sa pensée. Je ne pense pas que ça change grand-chose… Enfin… pas pour toi.

Elle sursauta en sentant le corps de Matthew se crisper contre le sien. Il s'écarta d'elle brusquement. Assis sur le canapé, il la dévisagea comme si elle l'avait giflé.

— Mais pour qui me prends-tu ? demanda-t-il d'une voix dangereusement calme — de ce calme qui précède l'explosion.

Comme Rita ne répondait pas, il insista.

— Quel homme crois-tu que je sois pour me moquer d'un truc pareil ?

Il avait presque crié les derniers mots.

Complètement déroutée par la colère subite de celui qui quelques minutes auparavant la serrait dans ses bras, Rita bredouilla :

— C'est… C'est donc important pour toi ?

Matthew la dévisagea de nouveau. Son expression était indéchiffrable quand il lui répondit par une autre question :

— Est-il besoin de me le demander ?

Ne sachant plus sur quel pied danser, Rita lui jeta un coup d'œil inquiet. Son visage était toujours aussi séduisant mais ses yeux n'avaient plus rien de chaleureux. Ils brillaient au contraire d'un éclat qu'elle jugea dangereux.

— Je crois… Oui, répondit-elle prudemment.

Silencieux, il la contempla un long moment. Puis, il hocha lentement la tête. Comme s'il était arrivé à une décision irrévocable, songea la jeune femme subitement glacée.

— Je vois, dit-il enfin.

— Matthew…

Rita s'interrompit, ne sachant par où commencer. Tout était tellement confus dans son esprit. Ou peut-être tout simplement, avait-elle peur de lui dévoiler ses sentiments dans un tel moment. Elle se sentait si fragile, si vulnérable, si désorientée.

Elle n'était pas encore certaine d'avoir pris toute la mesure de ce qu'ils venaient de vivre ensemble. Tout ce qu'elle savait, c'est qu'elle avait découvert quelque chose dont elle n'avait jamais soupçonné l'existence. Quelque chose de profond, d'intime, d'essentiel. Et elle venait de faire cette découverte dans les bras d'un homme pour lequel elle éprouvait des sentiments particuliers. Des sentiments qu'elle n'avait jamais éprouvés auparavant. Des sentiments dont la violence même l'effrayait…

Alors, elle choisit de se taire, se contentant de soutenir le regard de Matthew en espérant qu'il ne remarquerait pas sa gêne et sa confusion, et que le gouffre qu'elle sentait s'ouvrir entre eux n'était qu'un effet de son imagination.

En revanche, de son côté, Matthew, lui, n'espérait plus rien. Et il savait très exactement ce qu'il faisait et pourquoi, quand il déclara en la regardant droit dans les yeux :

— Tu ferais mieux de partir.

Suffoquée, Rita voulut protester.

— Mais…

Il ne lui en laissa pas le temps.

— Ecoute, Rita, poursuivit-il en se mettant sur ses pieds. Franchement, je pense qu'il est inutile de prolonger cette soirée.

Tout en boutonnant son pantalon, il ajouta, impitoyable :

— Nous aurions mieux fait de demander au chauffeur d'attendre. Je vais t'appeler un taxi.

Pétrifiée, Rita prit la robe qu'il lui tendait. Fébrilement, elle l'enfila.

— Mais… je croyais que tu devais me raccompagner chez moi, bredouilla-t-elle, consciente du tremblement dans sa voix. Matthew, je ne comprends pas…

Sans se donner la peine de lui répondre, il se détourna pour attraper sa chemise. Rapidement, il la passa sur ses épaules. Mais pas assez vite cependant pour éviter à Rita d'apercevoir ses cicatrices.

Il avait raison. Les balafres qui sillonnaient son dos étaient profondes, ne put-elle s'empêcher de remarquer malgré son désarroi. Mais pour autant, elle ne les trouvait pas repoussantes. Parce que ces cicatrices faisaient partie de Matthew et qu'elle aimait tout de lui. Même ses imperfections…

Quand il se tourna de nouveau vers elle, Rita s'étonna de lire sur son visage une souffrance au moins aussi intense que la sienne. C'était pourtant lui qui avait brutalement décidé de mettre un terme à ces moments magiques qu'ils venaient tout juste de découvrir dans les bras l'un de l'autre.

— Habille-toi ! lui intima-t-il d'une voix dure. J'appelle un taxi.

Sur ce, il tourna les talons et sortit.

Restée seule, debout au milieu du salon, Rita ressentit soudain un vide immense. Un vide comme elle n'en avait jamais connu.

Rita n'avait jamais fait partie de ceux qui se promenaient dans les rues de Boston aux « petites heures du matin ». Naturellement, quand elle était de garde, il lui arrivait parfois de rentrer chez elle quand l'aube qui se levait sur la ville dessinait au-dessus des buildings une cicatrice rouge qui s'élargissait. Mais elle était généralement trop fatiguée pour observer ce qui se passait autour d'elle. En revanche, cette nuit-là, à 3 heures du matin, assise sur la banquette arrière d'un taxi, elle pouvait tout à loisir observer l'animation de la ville.

Elle s'étonna du nombre de bars et de clubs encore ouverts à cette heure, ainsi que du nombre de gens qui marchaient dans les rues. Des couples qui rentraient probablement chez eux. A moins que ne soit des rencontres d'un soir, le temps de quelques ébats amoureux. Des liaisons éphémères comme celle qu'elle venait de vivre.

« N'y pense pas, Rita », se dit-elle en luttant contre les larmes. « Oublie ce qui vient de se passer avec Matthew ».

Il avait certainement déjà tiré un trait sur leur aventure.

En tout cas, elle avait beau se torturer l'esprit, elle n'avait toujours aucune idée de ce qu'elle avait bien pu faire ou dire pour qu'il la repousse de cette façon, aussi durement, aussi définitivement. En quelques secondes, son visage s'était fermé. S'il avait abaissé un rideau de fer, il n'aurait pas constitué d'obstacle plus tangible entre eux. L'amant attentif et passionné était redevenu le chirurgien froid et distant.

Il l'avait laissée seule dans le salon jusqu'à l'arrivée du taxi. Il n'avait fait qu'une brève réapparition, juste le temps de lui ouvrir la porte. Au moment d'en franchir le seuil, Rita avait hésité. Elle l'avait regardé une dernière fois droit dans les yeux pour tenter de comprendre ce qui se passait dans sa tête. Mais il ne lui avait offert qu'un regard vide de toute émotion. Il ne lui avait donné aucune chance, aucun indice.

Désemparée, elle lui avait tourné le dos. Et ils s'étaient quittés ainsi. Sans un mot d'adieu.

Quelle idiote elle était de se tourmenter ainsi ! Soit, ils avaient couché ensemble, et après ? Des milliers de gens le faisaient chaque nuit sans pour autant se revoir. Malheureusement, ce n'était pas son style. Faire l'amour avec Matthew avait représenté quelque chose d'unique, d'important. Elle ne voyait rien d'éphémère là-dedans, se dit-elle en regardant les lumières de la ville qui défilaient derrière la fenêtre.

Etourdie, elle ferma les yeux. Mais ses paupières ne l'empêchaient pas de voir se succéder les taches d'ombre et de lumière. Elle percevait les halos des lampadaires qui passaient au-dessus d'elle comme des feuilles emportées par le vent.

Quand le taxi s'arrêta devant l'immeuble, elle ouvrit les yeux et regarda autour d'elle. Elle avait l'impression d'être dans une ville inconnue. Se ressaisissant, elle chercha dans son sac à main de quoi payer la course. Mais le chauffeur lui précisa que celle-ci avait été réglée lors de la réservation par téléphone.

Immobile sur le trottoir, Rita regarda la voiture disparaître à l'angle de la rue. Ainsi, Matthew avait payé le taxi pour la ramener chez elle. Elle ne savait si elle devait lui en être reconnaissante ou se sentir encore plus humiliée. Une angoisse mêlée de colère lui serra la gorge. Elle passa une main tremblante sur son front. Il fallait à tout prix qu'elle cesse de se tourmenter avec ces interrogations stupides qui de toute façon, quelles que soient les réponses, ne changeraient rien.

Pour le moment, tout ce dont elle avait envie, c'était de courir se réfugier dans son appartement et de tirer le verrou derrière elle — au besoin de se barricader en poussant quelques meubles devant la porte. Elle pourrait ainsi se terrer tel un animal blessé dans sa tanière durant tout le week-end, et faire comme si elle n'était pas obligée de retourner travailler avec le Dr Matthew Grayson dès le lundi matin. Cependant, la première chose à faire était de réussir à grimper jusqu'à son appartement sans s'effondrer en larmes sur le premier palier. Autant dire, mission impossible. Car en dépit de ses bonnes résolutions, elle sentit le picotement familier des larmes à la seconde même où elle franchit la porte du petit immeuble de briques rouges.

Elle prit une profonde inspiration et, dans un effort héroïque, s'obligea à monter calmement les escaliers alors qu'elle n'avait qu'une hâte, grimper les marches quatre à quatre et se jeter sur son lit. Malheureusement, même cette maigre consolation devrait attendre, fut-elle bien forcée de constater en découvrant la présence de Maria et de leur cousine Emily dans le salon du premier étage.

Enveloppée dans une simple robe de chambre de coton blanc, Maria tenait un mug entre ses mains — probablement un thé ou un chocolat chaud. En revanche, Emily était toujours moulée dans la superbe robe de cocktail de soie bleu nuit qu'elle portait pour la soirée. La veste assortie était négligemment jetée sur l'accoudoir du canapé à côté d'elle. La jeune femme semblait bouleversée.

— Que se passe-t-il ? demanda Rita en s'avançant dans la pièce. Il est arrivé quelque chose ?

Maria leva une main apaisante.

— Pas d'affolement, sœurette, la rassura-t-elle. Tout le monde va bien.

Les grands yeux bruns de Rita s'attardèrent sur Emily, puis revinrent de nouveau sur Maria.

— Mais…

Emily poussa alors un long soupir résigné.

— J'avais besoin de réfléchir après cette soirée. Tellement de choses me trottaient dans la tête. J'ai pris ma voiture… Et comme je passais devant chez vous…

Elle s'interrompit. Poussant de nouveau un soupir à fendre l'âme, elle tendit la main vers une tasse posée sur le guéridon à côté d'elle, puis sembla se raviser et se renversa contre le dossier du canapé.

— Il se passe quelque chose à la compagnie, confessa-t-elle enfin. Je n'arrive pas à mettre le doigt dessus, mais il se passe quelque chose d'anormal.

— Que veux-tu dire ? questionna Rita en s'asseyant à côté de Maria.

L'air soudain gêné, Emily secoua la tête.

— Je n'aurais pas dû venir vous embêter avec ça. C'est stupide. Juste une intuition.

— Quelle sorte d'intuition ?

— Simplement que…, commença Emily, les sourcils froncés par la concentration. Oh, et puis zut ! J'ai l'impression que Derrick agit de façon étrange ces derniers temps. Je suis persuadée qu'il sait quelque chose dont il ne veut rien me dire. Je suis simplement venue demander à Maria si elle avait entendu parler de quoi que ce soit.

Derrick travaillait chez *Baronessa* au service assurance qualité. Sa sœur cadette, Emily, était employée comme secrétaire dans ce même service. D'après l'avis de tous, ils formaient tous deux une excellente équipe.

Rita se tourna vers Maria pour savoir ce qu'elle pensait de cette histoire.

Celle-ci se contenta de hausser les épaules.

— J'ai déjà dit à Emily que je n'étais au courant de rien d'inhabituel. Pour autant que je puisse en juger, les affaires tournent normalement. Du moins, aussi normalement que possible, compte tenu des récents événements.

— C'est bien ce que je disais, marmonna Emily. Je n'aurais pas dû venir vous ennuyer avec ça. C'est parfaitement ridicule. Excuse-moi de t'avoir dérangée en pleine nuit pour te raconter ces bêtises, Maria.

Cette dernière balaya ses excuses d'un geste de la main.

— Pas de problème. De toute façon, je ne dormais pas.

Emily la regarda avec un subit intérêt.

— Tiens, c'est vrai. Quand j'ai sonné à ta porte, je me suis étonnée de te voir réveillée à une heure aussi tardive. Tu souffres d'insomnies ?

A son tour, Rita dévisagea sa sœur d'un œil soupçonneux.

— A ce propos, je voulais te demander…

— Quoi ? l'interrompit Maria, visiblement sur la défensive.

— Tu as quitté la soirée bien avant minuit il me semble…, observa Rita. D'ailleurs, j'ai constaté ces derniers temps que tu t'absentais souvent de la maison. Surtout la nuit. Toi qui étais jusqu'à présent du genre casanier, je me demande bien ce que tu fabriques.

Là, Maria parut brusquement s'affoler.

— Je… je, hum… Eh bien… C'est seulement que…

Elle déglutit avec difficulté et détourna les yeux.

Ça ne laissait présager rien de bon. Maria était la plus mauvaise menteuse de toute la planète. Elle était incapable de raconter un bobard à quelqu'un en le regardant droit dans les yeux.

— C'est juste que… que j'ai pas mal de boulot, ces temps-ci, expliqua-t-elle d'une voix peu convaincante. Entre le fiasco du lancement de la glace aux fruits de la passion et les nouvelles dispositions de la compagnie, je suis obligée de faire des heures supplémentaires.

Bien qu'elle n'en crût pas un mot, Rita hocha doucement la tête.

— Je parierais plutôt pour un garçon, asséna-t-elle d'un ton catégorique.

Les joues de Maria virèrent à l'écarlate.

— Je… Je… Je ne vois vraiment pas… de quoi tu veux parler, bredouilla-t-elle.

Rita et Emily échangèrent un regard entendu avant d'éclater de rire. Ce qui stupéfia Rita, car elle n'aurait jamais imaginer pouvoir rire après la soirée qu'elle venait de vivre.

— Alors, c'est vrai ? insista-t-elle. Tu as un petit ami et tu ne veux pas nous le présenter ?

— Non, tu n'y es pas du tout ! protesta Maria avec véhémence.

Avec un peu trop de véhémence, nota Rita.

— Allons, sœurette. Tu sais bien que tu mens très mal. Comment s'appelle-t-il ?

Maria baissa les yeux. L'espace de quelques secondes, elle eut vraiment l'air d'une petite fille prise la main dans le sac de bonbons. Puis, soudain, elle redressa la tête avec un sourire.

— Il est merveilleux. Je suis certaine que vous l'adoreriez, déclara-t-elle sans pour autant préciser le nom de l'heureux élu.

— Dans ce cas, pourquoi ne pas l'avoir invité à t'accompagner ce soir ? questionna Emily. Je suis certaine que tout le monde aurait été ravi de faire sa connaissance.

Le sourire de Maria s'effaça.

— Impossible. Il est... Il est trop timide, bredouilla-t-elle. Oui, c'est ça. Il est timide, ajouta-t-elle d'une voix plus ferme comme si elle cherchait à s'en convaincre elle-même. Et vous savez combien le clan Barone peut paraître impressionnant.

« A qui le dis-tu ! » ajouta mentalement Rita en songeant aux efforts qu'elle avait dû faire une bonne partie de la soirée pour mettre Matthew à l'aise.

Bon sang, voilà qu'elle pensait de nouveau à lui ! Etait-elle capable de penser à quoi que ce soit sans que Grayson fasse partie de l'équation ?

— Timide, c'est ça ? observa-t-elle avec une moue dubitative. Mon petit doigt me dit que ce n'est pas la seule raison. Cela dit, je ne veux surtout pas te forcer... D'ailleurs, sois tranquille, Emily et moi, nous te promettons de garder le secret, ajouta-t-elle avec un rapide coup d'œil en direction de sa cousine qui confirma d'un signe de tête. J'imagine que tu nous le présenteras quand tu te sentiras prête. Surtout si, comme je le devine, il compte autant pour toi. Il suffit de voir la façon dont tu rougis.

Rita ne put réprimer un sourire malicieux en regardant sa sœur devenir cramoisie. Mais son sourire disparut presque aussitôt quand celle-ci lui demanda du tac au tac :

— Et toi, qu'as-tu fait de ton petit ami, le si sexy Dr Grayson ? Vous formiez un joli couple, ce soir.

Elle jeta un regard éloquent sur la pendule posée sur le manteau de la cheminée.

— Mon Dieu, et c'est à cette heure-ci que tu rentres ? Il est affreusement tard ! ajouta-t-elle. Oh, mais qu'est-ce que je vois... C'est ton soutien-gorge qui dépasse ainsi de ton sac à main ?

Affolée, Rita baissa les yeux sur son sac et obtint confirmation.

— Ah, ah, je t'y prends ! s'esclaffa Maria, aussitôt imitée par Emily.

Rita les considéra un moment, consternée, abasourdie. Bon sang, ça n'avait rien de drôle ! Elle s'efforça de garder sa dignité. Et Dieu sait qu'il lui en restait peu après la soirée qu'elle venait de vivre.

— Alors, tu reconnais tes péchés ? gloussa Maria.

— Je ne reconnais rien du tout !

— Hum, hum… Si tu le dis ! Mieux vaut ne pas insister…, conclut Emily avec un clin d'œil coquin.

Soucieuse de détourner au plus vite la conversation, Rita désigna du menton le mug que tenait sa sœur.

— Il en reste encore ? demanda-t-elle en espérant que ce soit du chocolat chaud car elle ne connaissait pas de meilleur remède au cafard.

Maria baissa les yeux sur sa tasse.

— Tu veux boire une goutte de chianti ? Tu as raison, sœurette. Chez nous, les Italiens, il y a toujours une petite place pour une gorgée de chianti.

Rita ouvrit de grands yeux. Et voyant son air éberlué, Maria et Emily partirent d'un nouvel éclat de rire.

Rita n'avait pourtant aucune envie de rire, mais l'hilarité de ces deux-là était si contagieuse que, malgré elle, ses lèvres esquissèrent un sourire jusqu'à ce que, ne se maîtrisant plus, elle joigne son rire aux leurs. Elle sentit la tension céder dans son corps. Ne restait plus que la tension dans son esprit. Si elle réussissait à sortir de ce maelström d'émotions, tout irait bien. Et de ce point de vue, une goutte de vin n'était pas une si mauvaise idée après tout. Une bouteille de chianti et un week-end barricadé dans son appartement, c'était exactement ce qu'il lui fallait.

Evidemment, à un moment ou à un autre, elle serait bien forcée de penser à la semaine de travail qui l'attendait à l'hôpital. Et à Matthew Grayson.

Mais elle y penserait plus tard, se promit-elle.

Il serait toujours temps de s'en inquiéter, lundi matin.

D'ici là, elle disposait de deux jours et deux nuits pour reprendre ses esprits.

7.

Lundi matin

Matthew regardait la pluie dégouliner le long des fenêtres de son bureau. Son humeur était aussi sombre, aussi grise que les masses cotonneuses du ciel qui s'effrangeaient à l'horizon. Et les sentiments qui l'agitaient étaient aussi turbulents que le vent qui poussait les nuages chargés d'humidité venus de l'océan.

Lâchant un juron entre ses dents, il tourna le dos à la pluie et se mit à arpenter son bureau comme si le simple fait de marcher avait le pouvoir de calmer son esprit tourmenté. Peine perdue. Avec un soupir excédé, il se dirigea de nouveau vers la fenêtre. Cinq étages plus bas, l'aire de stationnement commençait à s'animer. Un vieux monsieur luttait avec un parapluie récalcitrant, tandis que deux bonnes sœurs cinglaient comme des voiliers vers un bus. Les nuages semblaient assez bas et menaçants pour bousculer leurs cornettes.

Durant tout le week-end, il s'était promis de régler le problème d'ici à la reprise de son service à l'hôpital le lundi matin. Soit, il aurait tiré un trait sur ce qui s'était passé avec Rita. Soit, il aurait trouvé un moyen de s'excuser et de lui expliquer son attitude odieuse.

L'échéance était passée, et rien n'était réglé.

En réalité, il lui était impossible de faire une croix sur cette fameuse nuit du vendredi au samedi. Ce qu'il avait vécu avec Rita, ces quelques instants magiques comptaient trop pour lui. Et la façon épouvantable dont il s'était comporté après coup dépassait son entendement.

Paralysé d'abord par une tempête d'émotions contradictoires, il avait senti monter en lui cette fureur dévastatrice qu'il connaissait si bien et qu'il avait parfois tant de mal à tenir à distance. Une fois de plus, il n'avait pas su comment réagir. A sa décharge, il fallait cependant reconnaître qu'il avait été purement et simplement consterné par ce que Rita pensait de lui.

Pendant tout le week-end, il n'avait cessé de ressasser ces quelques instants d'intimité qu'ils avaient partagés. Et il n'avait cessé d'entendre encore et encore ces quelques mots.

« C'est donc important pour toi ? »

Même après qu'ils aient connu ensemble une telle explosion des sens, elle n'avait pas été capable d'y répondre seule. Elle n'avait pas été capable de comprendre ce qu'il éprouvait pour elle.

Fallait-il qu'elle le considère comme un mufle pour le croire insensible au point qu'il puisse se moquer d'avoir été son premier amant, s'indigna une nouvelle fois Matthew. Bon sang, il lui avait pris sa virginité tout de même ! Comment avait-elle pu le croire à ce point dénué d'émotions ? Elle le prenait vraiment pour un être froid et insensible. Autant dire qu'en dépit de ses assertions, il n'était ni plus ni moins qu'un monstre à ses yeux — comme aux yeux de tout l'hôpital, d'ailleurs. Un monstre incapable d'éprouver un quelconque sentiment pour qui que ce soit, alors qu'en réalité, ce qu'il ressentait pour elle…

Il préférait ne pas y penser. Il ne *devait* surtout pas y penser.

Après tout, peut-être était-il réellement un monstre. Seul un monstre aurait pu réagir de la façon dont il avait réagi. Appeler un taxi pour renvoyer chez elle une jeune femme aussitôt après lui avoir fait l'amour.

Une boule se forma dans sa gorge à ce souvenir. Il s'était comporté comme un véritable fumier. Il n'avait pas réfléchi une seconde. Il avait agi impulsivement sous le coup de la colère et de la peur. Colère, parce qu'il était furieux contre Rita, furieux de l'avoir crue différente. Et peur, parce qu'il était effrayé de ce qu'il aurait pu dire — ou pire, de ce qu'il aurait pu lui dévoiler — s'il l'avait autorisée à rester.

Et maintenant…

Laissant échapper un soupir de frustration, il passa une main nerveuse dans ses cheveux et se remit à arpenter son bureau tel un fauve en cage. Une douleur sourde lui étreignait la poitrine depuis l'instant où il avait refermé sa porte sur Rita. Il avait beau essayer de repousser cette souffrance, de ne pas y penser, de ne pas penser à ce qui l'avait provoquée, elle continuait à le harceler comme une rage de dents tenace.

Il s'arrêta de nouveau près de la fenêtre pour jeter un coup d'œil en contrebas, sur l'entrée de l'hôpital. Et comme il le faisait chaque matin quand il pleuvait, il chercha des yeux un parapluie jaune. Il savait que sous ce parapluie s'abritait Rita Barone. Elle seule arborait la couleur du soleil quand tous les autres choisissaient le gris ou le noir pour se fondre avec la nuance pluvieuse et maussade du temps de Nouvelle-Angleterre. D'ailleurs, la teinte lumineuse de son parapluie cadrait parfaitement avec son tempérament rayonnant et enjoué, songea Matthew avec un pauvre sourire mélancolique.

6 h 45, nota-t-il en jetant un rapide coup d'œil sur sa montre quand il aperçut la jeune femme. Rita Barone était réglée comme une horloge.

Que n'aurait-il donné pour en dire autant de ses propres sentiments, songea-t-il, le cœur serré.

« Soit, tu tires un trait, Grayson, soit, tu t'expliques et tu t'excuses. »

D'une façon ou d'une autre, il lui faudrait d'abord approcher Rita.

Ils travaillaient ensemble. Ils ne pouvaient donc manquer de se croiser. Mais comment faire pour continuer à former une équipe comme si rien ne s'était passé entre eux ?

C'était impossible, conclut Matthew. A moins d'arriver à un accord. Mais quel genre d'accord ?

Ce lundi matin, en entrant dans le bureau des infirmières, Rita avait les nerfs à vif. Elle se sentait étourdie et aussi légèrement déboussolée. Le manque de sommeil, probablement. Elle n'avait guère fermé l'œil plus de six heures dans tout le week-end. Et pour cause... Pas plus tôt réfugiée dans son lit, vendredi soir — ou plutôt, samedi matin — pelotonnée sous les couvertures, elle avait brusquement réalisé qu'elle avait fait l'amour avec Matthew sans prendre aucune précaution. Emportés par leur frénésie érotique, ils avaient complètement fait l'impasse sur les moyens de contraception quels qu'ils soient.

Rita était bouleversée par une telle négligence de sa part. D'accord, c'était la première fois, mais ce n'était pas une raison pour ne prendre aucune précaution. Heureusement, compte tenu de la période de son cycle, elle avait peu de risques d'être enceinte.

En revanche, du côté des émotions, ce n'était pas aussi simple que la mécanique biologique... De ce point de vue-là, il y avait de fortes chances pour qu'elle n'en ressorte pas indemne.

Pendant tout le week-end, elle s'était exhortée à tenter de minimiser ce qui s'était passé avec Matthew. Ce n'était qu'une grosse bêtise comme en faisaient la plupart des femmes au moins une fois dans leur vie, se répétait-elle comme un mantra.

Après tout, cela lui servirait de leçon. Dorénavant, plus question de laisser le cœur l'emporter sur la raison. Surtout avec un homme comme Matthew Grayson… Un homme capable de faire l'amour avec une fille et de lui appeler un taxi dans la minute suivante.

— Rita.

En entendant la voix chaude et grave de Matthew prononcer tranquillement son nom, la jeune femme se sentit défaillir. Elle n'était absolument pas prête à le voir. Ni aujourd'hui. Ni demain. Ni dans un siècle.

A contrecœur, elle se retourna. Et quand elle le vit, elle comprit que certaines images resteraient à jamais gravées dans sa mémoire. Elle ne put s'empêcher de songer à la douceur de ses cheveux châtains dans lesquels elle avait enfoui ses doigts alors qu'il lui faisait connaître l'extase. Elle ne put s'empêcher de sentir sous ses doigts les cicatrices qu'elle avait caressées. Désormais, il n'y aurait pas de jour sans qu'elle pense à lui, le cœur lourd, en se demandant ce qu'aurait pu être leur avenir si Matthew ne l'avait pas repoussée…

Il portait l'un de ces habituels costumes noirs dont la coupe impeccable mettait en valeur sa silhouette athlétique. Il était tellement beau, tellement irrésistible, que Rita eut soudain une envie folle de se jeter dans ses bras pour l'embrasser.

Au lieu de ça, elle adopta un ton professionnel :

— Oui, docteur Grayson ?

L'usage formel de son titre le fit sourciller. Néanmoins, il se ressaisit presque aussitôt.

— Auriez-vous un moment à m'accorder ? demanda-t-il, s'efforçant lui aussi de conserver un ton professionnel.

— En fait, je suis assez prise par le temps, s'excusa-t-elle. C'est toujours comme ça après le week-end. J'ai énormément de choses à faire.

— Je n'ai besoin que de quelques minutes.

Matthew la regarda se mordre les lèvres. Il lui semblait entendre les rouages de son esprit se mettre en branle à toute vitesse.

Rita se retint pour ne pas lui répliquer quelque chose du style « Oh, vous voulez que nous parlions de cette mémorable nuit de vendredi ? » Cela n'aurait servi qu'à les mettre encore plus mal à l'aise qu'ils ne l'étaient déjà. Et Matthew aurait forcément deviné à quel point elle était encore blessée. Qu'il puisse croire qu'elle avait de la peine à cause de lui était bien la dernière chose qu'elle souhaitait sur cette terre !

— Sincèrement, je suis débordée, dit-elle sans émotion apparente. Peut-être une autre fois.

Grayson jeta un coup d'œil éloquent sur la table de travail réservée aux infirmières. Pas un seul dossier de patient. Aucune urgence. Pas de courrier, si ce n'est un simple mémo de service dans la corbeille de Rita Barone.

— D'accord, concéda-t-elle avec un petit soupir excédé sans le regarder. Juste une minute.

— Merci, dit-il, impassible.

Naturellement, Rita se doutait bien qu'il n'avait pas l'intention de discuter avec elle dans ce bureau — le passage y était incessant en début de journée. Cependant, elle ne put réprimer un tressaillement quand Matthew frôla son épaule de la main en lui faisant signe de passer devant lui. Une décharge électrique n'aurait pas eu plus d'effet que ce simple contact physique.

Etouffant un soupir résigné, elle le précéda dans le couloir. Comme ils passaient devant la salle d'attente, Matthew y jeta un rapide coup d'œil. Deux personnes s'y trouvaient déjà en train de bavarder. Ils poursuivirent leur chemin. Finalement, Matthew frappa à la porte d'une petite pièce qui servait de réserve pour le matériel médical. S'étant assuré qu'il n'y avait personne, il s'écarta pour laisser Rita entrer la première. Ce qu'elle fit en secouant la tête, l'air excédé. Il referma aussitôt la porte derrière eux.

Ils étaient de nouveau seuls. Avec pour seule compagnie des montagnes de compresses et de seringues, ainsi que tout un tas d'instruments barbares allant des bistouris aux écarteurs en passant par les pinces et les cathéters.

« Difficile de trouver endroit plus romantique ! » ironisa Rita en son for intérieur.

Elle leva son poignet et regarda ostensiblement sa montre.

— Je vous accorde cinq minutes, pas une de plus, annonça-t-elle froidement.

— Rita..., commença Matthew.

Il s'interrompit.

Son silence se prolongeant, Rita leva les yeux de sa montre.

Matthew la dévisageait. Il avait l'air d'être au supplice. Et dans ses yeux verts, il y avait un tel désarroi et un tel désir que toute la rancœur que la jeune femme avait accumulée contre lui pendant le week-end s'évanouit.

Mais comment oublier la façon odieuse dont il s'était comporté à son égard ? se dit-elle en tentant de réarmer cette colère qui lui permettait de garder la raison. Il avait peut-être tout simplement peur que leur aventure d'un soir ne fasse du tort à sa brillante carrière professionnelle ?

— Je suis vraiment désolé pour ce qui s'est passé vendredi soir, finit-il par dire.

Les mots avaient été débités à une telle vitesse qu'ils en étaient incompréhensibles pour la plupart.

Rita haussa un sourcil autant étonné qu'interrogateur.

— Quoi ? dit-elle. Vous êtes quoi ?

Matthew laissa échapper un soupir impatient, mais continua de la regarder droit dans les yeux tandis qu'il répétait plus clairement, cette fois :

— Je suis désolé… A propos de mon comportement… Vendredi soir, acheva-t-il, mal à l'aise.

Rita ne s'attendait pas vraiment à des excuses. Elle attendait plus ou moins qu'il lui demande d'oublier leurs ébats. Mais des excuses… Son cœur chavira : amour et joie, chagrin et colère, mêlés à l'amertume des dernières heures.

Peut-être restait-il encore une petite lueur d'espoir. Pour lui. Pour *eux*…

— Il serait peut-être préférable pour nous deux d'oublier cette histoire, ajouta-t-il.

Rita sentit son cœur rater un battement. Tant pis pour l'espoir. Tant pis pour *eux*.

Les moments merveilleux qu'ils avaient partagés n'avaient donc eu aucune importance à ses yeux, réalisa-t-elle avec tristesse. Pourtant, ce matin, en le voyant si anxieux, elle avait cru un instant l'avoir mal jugé. Elle s'était dit qu'après tout, il avait peut-être réagi aussi violemment parce qu'il était tout simplement aussi bouleversé qu'elle, aussi effrayé qu'elle par la profondeur inouïe des émotions ressenties. Mais à présent…

Visiblement, il souhaitait tirer un trait sur ce qui n'était pour lui que l'aventure d'un soir.

— Très bien, dit-elle sèchement. C'est tout ?

Elle jeta un coup d'œil sur sa montre.

— Fantastique ! Vous êtes pile dans les temps, docteur Grayson.

Immédiatement, Rita s'en voulut pour ce dernier sarcasme. Il fallait toujours qu'elle en fasse trop.

— Et maintenant, si vous voulez bien m'excuser, ajouta-t-elle d'un ton penaud.

Elle sentit soudain le picotement familier des larmes qui lui montaient aux yeux. Vivement, elle pivota sur elle-même pour lui cacher son désarroi. Il fallait à tout prix qu'elle sorte de cette petite pièce dans laquelle elle avait subitement la sensation d'étouffer. Malheureusement, Matthew lui bloquait le passage. Comme elle faisait mine de le contourner pour atteindre la porte, il lui saisit le poignet.

— Rita…

— Quoi ? répliqua-t-elle avec brusquerie sans se tourner vers lui, de peur qu'il ne vît ses yeux embués de larmes.

— Je regrette… sincèrement.

Elle libéra son poignet d'une brusque secousse et tendit les doigts vers la poignée de la porte. Mais une fois de plus, Matthew fut plus rapide. Il posa sa main bien à plat sur la porte, la maintenant fermée.

Raide comme la justice, Rita n'osait se tourner vers lui. Elle avait bien trop peur de fondre en larmes si elle croisait son regard. Alors, elle resta là, le nez sur la porte, concentrant toute sa volonté pour ne pas pleurer en attendant qu'il daigne la laisser s'échapper.

Au lieu de ça, il se rapprocha. Il s'immobilisa juste derrière elle, suffisamment près pour qu'elle puisse sentir son parfum, la chaleur de son corps… Son souffle effleurait ses cheveux. Si elle fermait les yeux, elle était certaine de pouvoir entendre les battements de son cœur parfaitement synchronisés avec les siens.

— Acceptez-vous mes excuses ? demanda-t-il doucement.

Rita hocha lentement la tête, en s'efforçant de maîtriser son désarroi et ces maudites larmes qui menaçaient d'inonder ses joues.

— Oui, murmura-t-elle.

Il lui sembla que les doigts de Matthew plaqués sur la porte, se décrispaient.

— Et vous pensez sincèrement pouvoir oublier ce qui s'est passé entre nous ?

Il avait posé la question d'une voix hésitante.

Rita continuait de lui tourner le dos, si bien qu'il ne put lire sur son visage qu'elle mentait quand elle répondit :

— Certainement. Je crois qu'il est préférable d'oublier cet instant d'égarement. Nous avions sans doute bu un peu trop de champagne. Ça peut arriver à n'importe qui.

Sauf que cela n'était pas arrivé à n'importe qui, ajouta-t-elle silencieusement, l'estomac noué. Cela lui était arrivé à elle, Rita Barone. Elle ne disposait d'aucun précédent, d'aucune formule pour donner un sens à ce qui s'était passé entre elle et Matthew. Tout ce qu'elle savait, c'est que sa vie en était à jamais bouleversée.

— Bien, maintenant, si vous voulez bien m'excusez, je dois retourner au travail, déclara-t-elle d'une voix qu'elle espérait détachée.

L'espace d'une seconde, elle crut que Matthew au lieu de la libérer allait au contraire se rapprocher d'elle. Et elle fut presque déçue quand elle le vit ôter sa main de la porte. Au fond d'elle-même, elle avait eu envie qu'il la touche, réalisa-t-elle avec confusion. Sans un mot, elle abaissa la poignée et sortit. Par elle ne savait quel miracle, elle réussit à conserver la tête haute tandis qu'elle s'éloignait dans le couloir.

Le reste de la journée s'écoula lentement. En dépit de son chagrin, Rita assura son service avec son calme et son assurance habituels, tout en ne cessant de s'étonner des capacités de survie et de récupération du cœur humain.

Elle avait accepté d'oublier.

Le crépuscule descendait lentement. Affalé dans le fauteuil derrière son bureau, le regard rivé sur la pluie qui continuait de noyer Boston dans la grisaille, Matthew n'avait jamais ressenti un tel vide dans toute sa vie. Et Dieu sait qu'il s'était de nombreuses fois trouvé au bord du gouffre à se demander à quoi rimait l'existence.

Après sa rapide entrevue avec Rita, il s'était jeté à corps perdu dans son travail — l'unique voie d'habitude où ses sentiments n'étaient pas mis à l'épreuve, là où seule comptait l'image du chirurgien qu'il voulait bien donner de lui-même sans risque d'être blessé ou déçu. Pourtant, après avoir examiné pas moins d'une vingtaine de patients dont un dans un état critique, une seule image accaparait toujours son esprit : celle de Rita qui le regardait froidement, avant de lui tourner le dos et d'accepter de tirer un trait sur les si brefs, mais si intenses, moments d'intimité qu'ils avaient connus dans les bras l'un de l'autre.

Bon sang, qu'avait-il espéré ? Comment était censé réagir une femme qui se fait littéralement jeter dehors par son amant sans une explication, si ce n'est un billet de retour en taxi ? Il pouvait encore s'estimer heureux qu'elle ait accepté de lui parler. Quel idiot ! Il attendait peut-être qu'elle tombe à ses genoux pour le supplier de lui accorder une seconde chance ! De toute façon, il n'y aurait jamais de seconde chance possible. Il avait bousillé toutes leurs chances dès le départ.

Il renversa la tête en arrière.

Mais à qui voulait-il faire croire un truc pareil ? Lui, le « monstre » du Boston General Hospital, il avait eu un jour une chance avec la belle Rita Barone !

Et dire que comme un idiot, il y avait cru quand elle avait épinglé le petit cœur au revers de sa tunique !

De toute façon, elle ne saurait jamais que c'était lui l'auteur des petits cadeaux, le soupirant mystérieux. Après ce qui venait de se passer, il était trop tard à présent, pour le lui avouer. Cela ne servirait à rien si ce n'est qu'à le ridiculiser davantage. Il lui était déjà suffisamment pénible d'être dans la peau du monstrueux Dr Grayson. Alors autant éviter de devenir la risée de tout l'hôpital. Il avait été si souvent l'objet de moqueries par le passé, qu'il savait combien c'était douloureux. Bien plus douloureux que les cicatrices…

« Oublie toute cette histoire ! s'ordonna-t-il mentalement. Oublie Rita Barone. Oublie les petits présents. Oublie que tu as eu le béguin pour cette fille. »

Si seulement c'était aussi simple.

Au fond de lui, il était parfaitement conscient qu'il ne réussirait jamais à chasser complètement de son esprit la jeune infirmière aux yeux de velours brun. Maintenant, il savait. Après lui avoir fait l'amour, c'était comme si Rita était devenue une part de lui-même. Et de même qu'un homme privé de cœur, il ne pouvait vivre sans cette part vitale de lui-même dont il découvrait seulement maintenant l'importance.

Dans les jours qui suivirent sa nuit avec Grayson, Rita fit de son mieux pour éviter de le croiser. Elle s'arrangea avec ses collègues infirmières pour échanger ses gardes et réintégra l'équipe de nuit. Elle fit également une tentative pour changer d'unité médicale, mais tout ce qu'elle se vit offrir fut un poste en maternité — ce qui lui rappela qu'à cause de sa négligence, elle aurait fort bien pu se retrouver de l'autre côté de la barrière.

Finalement, deux semaines plus tard, force était d'admettre qu'à moins de changer d'hôpital, elle ne pouvait espérer éviter indéfiniment Matthew. Aujourd'hui ou demain, elle serait bien obligée de travailler à ses côtés en dépit de ce qui s'était passé. Elle n'avait pas d'autre choix que d'assumer.

Après tout, ce qui était arrivé n'était pas près de se reproduire. Et avec le temps, les choses finiraient par rentrer dans l'ordre, cherchait-elle à se persuader, en sirotant son café dans la cafétéria, le regard rivé sur l'épais rideau de neige derrière les fenêtres.

Elle avait réussi à atteindre l'hôpital avant que la tempête ne se déchaîne sur Boston. Les prévisions météorologiques n'étaient guère encourageantes pour les deux prochains jours. C'était typique du printemps de Nouvelle-Angleterre. Un jour, chaud et ensoleillé, le lendemain glacial et tempétueux. Imprévisible.

Comme l'était Matthew…

Quoi qu'elle fit, le jeune médecin occupait sans arrêt ses pensées. Elle avait beau essayer de faire taire ses émotions comme on referme un tiroir en désordre, sans cesse, l'image de Matthew lui faisant l'amour cette nuit-là revenait la harceler. Elle aurait tant voulu revoir les éclairs de passion dans ses yeux. Sentir de nouveau ses mains sur elle. Elle se souvenait de ses moindres paroles, de ses moindres gestes. Il ne se passait pas une minute sans qu'elle se rappelât son odeur, le contact de sa peau, la fusion de leurs bouches. Ces souvenirs étaient trop intenses, trop physiques pour n'être qu'un rêve, mais elle faisait comme si c'était le cas, car elle n'avait pas le choix. Ces quelques moments si précieux qu'elle avait passés dans ses bras seraient tout ce qu'elle aurait jamais de l'homme à qui elle avait donné son cœur.

Comment avait-il pu la repousser aussi durement, aussi cruellement ? se demanda Rita pour la centième fois. Ses collègues n'avaient-elles pas raison quand elles disaient de lui qu'il était un monstre ?

Le regard toujours rivé sur la tempête de neige qui ensevelissait Boston, Rita réprima un soupir.

Non. Matthew Grayson n'était pas un monstre. Sous la façade froide et arrogante, se cachait un amant doux, tendre et passionné. Alors, pourquoi ce brusque revirement ? Il y avait forcément une raison. Une raison qui lui avait totalement échappé.

Rita tourna le dos aux éléments déchaînés.

Comme elle regagnait l'unité de cardiologie, elle éprouva une soudaine appréhension. Elle n'aurait su dire si la raison en était la tourmente qui faisait rage à l'extérieur des bâtiments ou le tumulte des émotions qui grondaient en elle. Un tumulte qui atteignit son paroxysme quand elle rentra dans le bureau…

Posée sur sa corbeille à courrier, une magnifique rose rouge l'attendait.

Instinctivement, Rita jeta un coup d'œil circulaire. Il n'y avait personne dans les parages immédiats. Le service était désert. Ce qui en soi n'était guère rassurant, songea-t-elle en réprimant un début de panique. Une grande partie du personnel n'avait pu prendre son service à cause des intempéries.

La jeune femme tendit une main hésitante vers la fleur. Elle la prit et la porta à son nez. Fermant les yeux, elle respira son parfum délicat. Puis, légèrement, du bout des doigts, elle effleura un à un les pétales satinés.

Un ruban doré était noué à la base de la tige. Le même ruban qui ornait les présents qui lui avaient été offerts précédemment.

Mais pourquoi aujourd'hui, cette fois ? Pourquoi une rose ?

Ce vendredi était un vendredi comme les autres. Enfin, pas vraiment. Il y avait ce soir, très exactement deux semaines qu'elle et Matthew…

Rita porta une main tremblante à son front. C'était complètement dingue. Elle devait à tout prix trouver celui qui faisait ça. Elle avait beau se dire et se répéter qu'il n'y avait rien de malsain dans ces cadeaux anonymes, elle en était de moins en moins convaincue. Tant qu'elle ne connaîtrait pas la vérité, elle ne se sentirait pas en sécurité. Impossible de travailler sereinement dans de telles conditions.

Mais était-ce la seule raison qui l'empêchait de travailler sereinement… ? N'était-ce pas plutôt la présence de Matthew ?

Rita laissa échapper un petit rire nerveux.

Un petit rire mêlé de crainte et de frustration.

8.

Il était un peu plus de 18 heures quand Rita termina sa garde. La tempête de neige continuait de faire rage sur Boston. La météo avait lancé un bulletin d'alerte recommandant aux habitants de ne sortir qu'en cas d'extrême urgence. Mais Rita n'avait aucune envie de passer la nuit à l'hôpital. D'autant que l'inconnu qui persistait à vouloir lui offrir des cadeaux anonymes rôdait peut-être dans les parages.

Jetant un coup d'œil inquiet par-dessus son épaule sur le couloir désert, elle poussa la porte du vestiaire des infirmières pour se diriger d'un pas rapide vers son casier.

Elle posa la rose sur le banc.

La fleur était magnifique. Parfaite dans tous les sens du terme. Plus belle que ce qu'aucun être humain pourrait jamais espérer créer. Et la tourmente de neige qui secouait la ville n'en rendait sa beauté que plus poignante. C'était comme un souffle de printemps, le signe d'un espoir et du renouveau au beau milieu de l'orage. Pour toutes ces raisons, Rita n'avait pas pu se résoudre à la laisser faner sur son bureau durant le week-end.

Il y avait bien sûr une autre raison même si, celle-ci, Rita avait beaucoup de mal à l'admettre. Sans s'en douter, l'inconnu venait de célébrer à sa façon une date bien particulière. Une date unique dans le cœur de Rita. Une date que Matthew avait probablement déjà oubliée.

Il y avait seulement deux semaines, jour pour jour, qu'elle avait découvert l'amour dans les bras de Matthew, s'étonna-t-elle en quittant sa tenue d'infirmière pour l'enfermer dans son sac. Elle avait pourtant l'impression qu'il s'était écoulé une éternité. Elle se sentait tellement différente. Etait-il possible de changer à ce point en si peu de temps ? A l'évidence, oui. Puisqu'il ne s'était écoulé que deux semaines pendant lesquelles elle s'était efforcée d'éviter Matthew par tous les moyens. Deux semaines à tenter d'ignorer ses yeux verts, le parfum boisé de son eau de toilette, et le frôlement accidentel de leurs doigts. Deux semaines à se souvenir de la façon dont il l'avait embrassée, caressée et comblée. Deux semaines où pour la première fois de sa vie, elle s'était sentie atrocement seule.

Cela, son mystérieux soupirant ne pouvait pas le savoir, conclut Rita en essayant de chasser ses pensées mélancoliques.

Qui cela pouvait-il bien être ? se demanda-t-elle une fois de plus en terminant rapidement de se changer.

Elle se sentait à bout de forces. La neige ayant bloqué tous les accès à la ville, l'hôpital s'était brusquement trouvé à court de personnel, tôt le matin. Aussi avait-elle sans hésiter enchaîné sa garde de nuit avec le service de jour. Elle aurait volontiers continué, mais dix-huit heures de travail d'affilée émoussaient les réflexes et la vigilance. Fatiguée comme elle l'était, elle risquait de faire plus de mal que de bien. De toute façon, il était plus prudent qu'elle rentre à la maison. Pas seulement pour se reposer, mais aussi pour mettre un peu de distance entre elle et celui qui avait déposé la rose à son intention.

Elle enfila son vieil anorak et ses bottes fourrées qui lui permettaient de conserver un minimum de chaleur pour affronter les rigueurs du climat de Nouvelle-Angleterre — un climat qui, soit dit en passant, aurait certainement mieux convenu à un ours polaire.

Comme elle tendait la main vers la rose, elle interrompit brusquement son geste et laissa retomber son bras. Elle ferait sans doute mieux de la laisser sur le banc afin que quelqu'un d'autre s'en occupe. Quelqu'un qui saurait apprécier cette rose simplement pour sa beauté, et qui ne verrait en elle rien de malsain…

Rita fit un pas en arrière, mais presque aussitôt, se ravisa. C'était plus fort qu'elle. Elle ne pouvait pas se résoudre à laisser cette fleur à des mains inconnues. Alors, obéissant à son instinct, elle s'en saisit et la glissa délicatement dans la doublure intérieure de son anorak dont elle remonta soigneusement la fermeture Eclair jusque sous son menton, avant de pousser les portes de l'entrée de service de l'hôpital.

Elle s'immobilisa sous le porche.

La neige tourbillonnait autour d'elle comme si le monde était devenu une énorme boule de verre secouée par des mains géantes. Quatre employés de la voirie en combinaison dégageaient le trottoir avec des pelles. Autour du petit rectangle qu'ils déblayaient, il y avait déjà cinquante bons centimètres de neige qui s'étaient accumulés. Deux camions bennes transformés en chasse-neige débouchèrent de l'aire de stationnement sur deux files, légèrement décalés, lames en biais. Rita respira profondément, avança jusqu'au bord du trottoir et sentit le vent glacé lui mordre le visage. Elle rentra les épaules pour se protéger et batailla un instant pour enfiler ses gants. C'est alors qu'elle sentit une présence à côté d'elle. Clignant des yeux à cause de la neige, elle releva la tête pour découvrir dans un tourbillon de flocons Matthew Grayson qui la regardait.

Lui aussi était habillé pour affronter le blizzard, mais en plus élégant, ne put-elle s'empêcher de constater. Les pans de l'écharpe en cachemire soigneusement enroulée autour de son cou, tombaient parfaitement sur les revers du pardessus en poil de chameau. Ses gants de cuir brun semblaient aussi souples et lisses que du chevreau. Et même le bonnet de laine marron qu'il arborait sur le crâne devenait élégant sur lui.

Malgré des efforts désespérés, Rita n'arrivait pas à détacher ses yeux de Matthew. Et bizarrement, lui aussi ne semblait pas pouvoir détacher ses yeux d'elle.

Pendant un long moment, ils restèrent là, immobiles sous la neige, à se regarder en silence, incapables d'esquisser le moindre mouvement, comme pétrifiés sur place par les éléments qui continuaient à se déchaîner autour d'eux. Les flocons de neige qui tourbillonnaient sur le trottoir, s'élevaient entre eux, les enveloppaient d'une sorte de halo blanc, étincelant, presque féerique.

Ce fut Matthew qui se décida à parler le premier. En entendant sa voix, Rita eut l'impression de sortir d'un rêve pour reprendre brutalement pied avec la réalité. Le charme était rompu.

— Vous ne comptez tout de même pas rentrer chez vous équipée de cette façon ?

Complètement désorientée, engoncée dans son vieil anorak qui commençait déjà à être transpercé par l'humidité glaciale, Rita battit des cils pour chasser les flocons qui s'y accrochaient.

— Je n'ai pas le choix.

— Vous n'habitez pas tout près, crut-il bon de préciser.

Comme Rita ouvrait la bouche pour lui dire que ça irait, elle s'interrompit net et le dévisagea.

— Comment savez-vous que je n'habite pas tout près ? demanda-t-elle plus sèchement qu'elle ne l'eût souhaité. Vous connaissez mon adresse ?

Matthew redressa brusquement la tête, l'air mal à l'aise. Mais le ton de sa voix était sincère et parfaitement naturel quand il lui répondit :

— J'ai relevé les numéros de téléphone et les adresses de tout le personnel de l'unité. Au cas où.

« Au cas où *quoi* ? » aurait bien aimé lui demander Rita. Mais elle se retint de peur de se montrer trop méfiante. Après tout, il était normal que le Dr Grayson veuille être en mesure de contacter quiconque dans le service à propos d'un patient ou de tout autre problème. Décidément, cette histoire de cadeaux anonymes finissait par la faire sombrer dans la paranoïa.

— Excusez-moi. Je suis un petit peu à cran, ce soir. La neige, probablement, dit-elle sans conviction.

Matthew hocha la tête.

— Raison de plus pour ne pas essayer de rentrer chez vous par un temps pareil.

— Je ne vais tout de même pas rester ici toute la nuit, répliqua Rita en tournant un regard éloquent vers l'entrée de l'hôpital derrière elle.

— Pourquoi pas ? Il y a de quoi se nourrir, de quoi dormir, le chauffage et la télévision, observa Matthew en concluant sa liste avec un sourire désabusé. Bref, tout ce qu'il faut pour ne pas avoir à affronter le blizzard.

— Oh, je n'en doute pas, acquiesça Rita, la moue ironique. Plateaux-repas immangeables, cafés imbuvables, lits d'hôpital, et chaînes de télévision nationales. Ajoutons à cela le chauffage qui marche une fois sur deux. Sans compter que je pourrais tomber sur quelqu'un que je ne tiens vraiment pas à rencontrer.

La réaction de Matthew fut immédiate. Son regard s'assombrit et son visage devint aussi inexpressif qu'un masque.

— Vous ne risquez rien, dit-il d'un ton où perçait cependant une pointe d'hostilité.

Il détourna brusquement la tête. Puis, il ajouta d'une voix détachée que démentait cependant son attitude crispée :

— Je rentre chez moi. Soyez tranquille, personne ne viendra vous embêter si vous passez la nuit à l'hôpital.

Ce n'est qu'à cet instant que Rita prit conscience du caractère ambigu de ces paroles. Matthew croyait qu'elle parlait de lui.

— Ce n'est pas ce que je voulais dire, rectifia-t-elle précipitamment. Ce n'est pas de vous que je parlais, mais du gars qui me harcèle.

Elle n'avait pas plutôt dit ces derniers mots, qu'elle se mordit la lèvre. Seigneur, Grayson allait réellement finir par la prendre pour une démente affligée d'un sérieux complexe de persécution !

— Un gars qui vous harcèle ? répéta-t-il, incrédule. Mais de quoi parlez-vous ?

— Oh, il n'est peut-être pas dangereux, dit-elle hâtivement. Simplement, je ne sais pas qui c'est, alors ça me met mal à l'aise. En tout cas, je ne tiens pas à tomber nez à nez avec lui en pleine nuit quand les couloirs de l'hôpital seront quasiment déserts et qu'il n'y aura personne pour entendre mes appels au secours.

Matthew la dévisagea comme si elle venait de parler chinois.

— Excusez-moi, mais je ne comprends toujours pas de quoi vous voulez parler.

Rita poussa un soupir impatient.

— Aucune importance. C'est une longue histoire.

Silencieux, Matthew la dévisagea encore un moment comme s'il s'apprêtait à prendre une décision lourde de conséquences et qu'il pesât le pour et le contre. Puis, doucement, il proposa :

— Dans ce cas, pourquoi ne pas venir chez moi ?

Stupéfaite, Rita écarquilla les yeux.

— Je... Je... Je..., bégaya-t-elle. Franchement... Je... Je ne suis pas certaine que ce soit une bonne idée. Merci quand même.

— Ecoutez, je ne cherche absolument pas à profiter de la situation, d'accord ? insista Matthew en réprimant un soupir frustré. Simplement, il se trouve que j'habite à deux pas d'ici. Et si vous avez peur de passer la nuit à l'hôpital, c'est peut-être une meilleure solution que d'essayer de rentrer chez vous. De cette façon, je ne passerai pas ma soirée à m'inquiéter de savoir si vous avez survécu à votre expédition polaire.

— C'est très aimable à vous, mais je ne crois pas…

— Rita, l'interrompit Matthew d'une voix douce, mais ferme. Il ne se passera rien. Je vous le promets. C'est une proposition entre amis. J'ose espérer que nous le sommes encore…

Rita ne répondit pas tout de suite tant elle craignait que sa voix ne trahisse ses sentiments véritables. Amis, elle et Matthew Grayson ? Après ce qu'ils avaient partagé ? Elle n'avait jamais fait ça avec aucun de ses meilleurs copains et doutait de pouvoir le faire un jour. Matthew *était,* et resterait toujours, bien plus qu'un simple ami pour elle. De cela, elle était certaine. Mais il n'y avait aucune raison pour qu'elle le lui avoue.

— J'ai une chambre d'amis, poursuivit-il. Et si vous tenez vraiment à vous barricader à l'intérieur et à faire comme si je n'existais pas, je ne m'en formaliserais pas. Je vous glisserais quelques feuilles de laitue sous la porte de sorte que vous ne mouriez pas de faim, ajouta-t-il avec un sourire hésitant.

Ce n'était vraiment pas une bonne idée, se répéta mentalement Rita. C'était même une très, très mauvaise idée. Le dernier bulletin météo prévoyait une aggravation des intempéries pour le week-end. Elle pourrait fort bien se retrouver coincée plus d'une nuit chez Matthew. Elle ferait sans doute mieux de tenter de rentrer chez elle tant qu'il en était encore temps.

Elle jeta un coup d'œil inquiet autour d'elle. Le vent semblait avoir redoublé de violence et la neige tombait en telle abondance qu'elle formait à présent un rideau blanc totalement opaque. Le bord du trottoir était à peine visible. Inutile d'espérer trouver un bus ou un taxi.

Mais pour autant, devait-elle accepter l'offre de Matthew ? Accepter de rester seule avec lui ? Elle en avait déjà fait l'expérience et cette bêtise lui avait coûté cher. Et puis, surtout… Elle n'était pas certaine de réussir à faire taire ses sentiments. Si elle s'avisait de craquer, cette fois, l'humiliation serait bien pire.

— Au fait, j'aimerais bien que vous m'expliquiez ce qui vous fait croire qu'on vous harcèle, ajouta Matthew d'une voix qui avait recouvré son sérieux.

— Il n'est peut-être pas fou, voulut corriger une fois de plus Rita. Peut-être s'agit-il tout simplement d'un admirateur qui souhaite garder l'anonymat et…

Elle s'interrompit. L'espace d'une fraction de seconde, elle avait cru voir le visage de Matthew se décomposer. Ses lèvres s'entrouvrirent comme s'il était sur le point de dire quelque chose et qu'il cherchât ses mots.

— Un admirateur anonyme… ? dit-il enfin d'une voix sans timbre.

— C'est ce que pensent la plupart de mes collègues, confirma Rita. Mais vous en avez certainement entendu parler, non ? Tout a commencé pour la Saint-Valentin.

— La Saint-Valentin… ? répéta Matthew.

Rita hocha la tête.

— C'est ce jour-là que j'ai découvert le premier cadeau dans ma corbeille à courrier. Un petit cœur en or. J'avais pris l'habitude de l'épingler sur ma blouse d'hôpital. Vous l'avez peut-être remarqué ?

— Un cœur en or… ? répéta une nouvelle fois Matthew, le visage soudain dénué d'expression.

Rita acquiesça de nouveau d'un mouvement de tête. La réaction du Dr Grayson l'intriguait.

— Et le jour de mon anniversaire, j'ai reçu un deuxième cadeau anonyme, expliqua-t-elle, plus lentement cette fois. Un bracelet à breloques que je portais il n'y a encore pas si longtemps.

— Un bracelet… ?

— Oui, oui, c'est bien ça. Un bracelet, confirma Rita. Et puis quelques semaines plus tard, ce fut un troisième cadeau anonyme. Le jour anniversaire de mon embauche à l'hôpital. Cette fois, il s'agissait d'un presse-papiers en forme de cœur taillé dans le cristal.

— En forme de cœur… ?

— Oui, confirma Rita, déconcertée par la façon étrange dont réagissait Matthew en répétant tout ce qu'elle disait. Le presse-papiers était vraiment très beau, mais bien plus cher que les deux précédents. Du coup… Ça m'a donné la chair de poule.

— La chair de poule ?

— Eh bien… Oui. Et ce n'est pas fini ! Voilà quelques heures à peine, il a laissé une rose sur mon bureau. Enfin, je pense que c'est lui. Mais je ne vois pas à quelle occasion, cette fois. Ce vendredi n'a rien de spécial… Du moins, pas pour lui, rectifia machinalement Rita.

Elle se mordit la lèvre. Trop tard pour faire marche arrière. Matthew avait compris. Parce qu'il paraissait soudain complètement à l'écoute, les yeux rivés sur elle, les lèvres serrées en une ligne étroite. Visiblement, lui aussi venait de réaliser l'importance de la date. Tout comme elle, il se souvenait de ce qui s'était passé entre eux exactement deux semaines plus tôt.

— Venez avec moi, Rita, insista-t-il.

Cette fois, le ton décidé se voulait persuasif.

— Matthew, je ne crois pas…

— Venez chez moi.

Rita baissa les yeux, indécise. Quelque chose dans la voix de Matthew, une intonation de tendre autorité qu'elle ne lui avait jamais entendue, la faisait hésiter. Après tout, que risquait-elle à le suivre ? A présent qu'ils avaient réussi à prendre un peu de distance par rapport à ce qui leur était arrivé, ils pourraient peut-être même en discuter et faire en sorte de trouver un compromis qui leur permette de reprendre le cours normal de leurs vies de célibataires. Et puis, de toute façon, elle pourrait toujours se barricader dans la chambre d'amis et se nourrir des feuilles de laitue qu'il lui glisserait sous la porte jusqu'à ce que la météo s'améliore et qu'elle puisse rentrer chez elle.

— D'accord, concéda-t-elle finalement.

Un déséquilibré…

Matthew n'arrivait pas à chasser cette image qui ne cessait de tourner dans sa tête tandis qu'il luttait avec Rita contre les éléments déchaînés pour atteindre son immeuble. Et comme la gifle glaciale du vent leur coupait la respiration et leur interdisait toute discussion, le mot s'enfonçait chaque fois un peu plus profondément dans sa conscience.

Et le mot continua de chahuter ses pensées pendant qu'il aidait Rita à préparer un dîner improvisé. Matthew avait beau essayer de le déloger de sa cervelle, il s'y accrochait comme une tique. Même pendant qu'il savourait le plat de pâtes au basilic concocté par Rita, il ne pouvait s'empêcher d'y songer, de chercher avec une partie de son esprit un moyen de résoudre le dilemme. Il avait l'impression que son cerveau barbotait péniblement à l'intérieur de son crâne.

La rémission vint avec la coupure de courant, lorsque le quartier se trouva plongé dans l'obscurité la plus totale et qu'il dut aller chercher des bougies.

Si le dîner aux chandelles réussit finalement à lui faire momentanément oublier cette histoire de déséquilibré, son trouble n'en fut pas pour autant diminué. Bien au contraire. La lumière vacillante des bougies donnait au repas une atmosphère romantique et, malgré toutes ses bonnes résolutions, Matthew était impuissant à détacher les yeux du visage de son invitée dont l'extraordinaire beauté et la profonde sensualité étaient encore rehaussées par la lueur dorée des bougies.

Les lèvres sèches, il pressentait que la bataille était perdue d'avance. Difficile de ne pas être amoureux d'une telle beauté.

Difficile de garder ses distances quand une telle femme s'apprêtait à passer la nuit sous votre toit. A partir du moment où ses pensées s'égarèrent dans cette direction, Matthew comprit que ses instincts allaient l'emporter sur la raison.

Cette fois, ce serait mieux, se promit-il. Il prendrait tout son temps avec elle, il serait attentif à son plaisir. Non pas qu'elle n'ait pas connu le plaisir la première fois — bien au contraire, son orgasme avait été aussi puissant que le sien. Mais il savait que cela aurait pu être encore mieux pour elle. Et cette fois-ci, il ne la jetterait pas dans un taxi pour la renvoyer chez elle. Non. Cette fois-ci, après lui avoir fait l'amour, il la serrerait contre lui, il l'envelopperait de ses bras, il lui murmurerait des mots doux, et…

Il ne la laisserait plus jamais partir.

C'est à cet instant précis, en contemplant Rita dans cette salle à manger au décor raffiné mais privé de toute chaleur, qu'une nouvelle évidence s'imposa à son esprit. Il ne pouvait plus se passer d'elle.

Au cours de ces trois dernières heures, ils avaient fait ensemble ce que font tous les couples — bavarder, préparer le dîner, manger. Et malgré la gêne encore perceptible entre eux, l'expérience l'avait enthousiasmé. Mais elle lui avait aussi fait prendre une conscience aiguë de sa solitude, de son isolement. Elle lui avait fait prendre conscience de son désir de ne plus être seul. Il désirait être avec Rita…

Il désirait partager avec elle tous ces petits riens qui rendent une vie lumineuse. Il voulait mettre sa main dans la sienne, accorder son pas au sien…

Par sa seule présence, elle lui apportait une sérénité qu'il n'avait jamais connue par le passé. Ce soir, il se sentait en paix. En paix avec lui-même, en paix avec la vie. En paix avec le monde. Même si tout n'était pas simple entre Rita et lui. Loin s'en fallait…

Mais il ne tenait qu'à lui de faire en sorte que tout s'arrange. Et cela, Matthew le souhaitait de toute son âme. Il voulait à tout prix donner une seconde chance à ces sentiments passionnés, chaotiques, et cependant si tenaces, qui avaient jailli entre eux deux semaines auparavant. Et même bien avant cette première nuit…

Une fois le dîner terminé, comme il s'asseyait en compagnie de Rita devant un bon feu de cheminée pour déguster un café agrémenté d'une goutte de whisky irlandais, le mot *déséquilibré* revint de nouveau tourmenter son esprit.

Il était consterné à l'idée que pendant tout ce temps, Rita avait cru voir quelque chose d'effrayant, et peut-être même de dangereux, dans les cadeaux qu'il lui offrait.

Bon sang, la seule façon de la rassurer, c'était de lui dire la vérité ! Mais comment allait-il s'y prendre pour passer aux aveux ? Qu'allait-elle penser de lui ? Ne deviendrait-elle pas encore plus méfiante à son égard ? Pire, il y avait de fortes chances pour qu'elle prenne peur.

D'ailleurs, difficile de l'en blâmer. Une belle jeune femme célibataire, vivant dans une grande ville comme Boston, avait tout intérêt à se montrer prudente. Après tout, il était normal qu'elle ait mal réagi aux présents d'un inconnu. Il aurait dû y penser. Elle paraissait pourtant si contente. S'il s'était douté un instant l'avoir effrayée, il se serait démasqué depuis longtemps. Il se serait expliqué.

Enfin… Il se serait expliqué s'il en avait été capable. Car pour être franc, il n'était pas certain lui-même de comprendre les raisons de son geste.

Mais qu'est-ce qui lui avait pris de faire un truc pareil ? se maudit-il silencieusement, le regard toujours rivé sur les flammes qui dansaient joyeusement dans la cheminée. En son for intérieur, il savait. Il savait même trop bien pourquoi il n'avait pu résister à ce besoin d'offrir.

Durant ces deux dernières semaines, il avait eu largement le temps d'y réfléchir. S'il avait laissé ces présents sur le bureau de Rita, c'était tout simplement parce qu'il éprouvait pour elle un sentiment qu'il avait peur de lui dévoiler, peur d'exprimer au grand jour.

Il était tout simplement paniqué à l'idée qu'elle puisse le repousser quand elle apprendrait qu'il était celui qui l'adorait en secret. Et il était effrayé à l'idée de la souffrance et de l'humiliation qu'elle pourrait lui infliger.

Il serait à sa merci.

Pensif, il laissa glisser son regard sur leurs deux paires de bottes qui séchaient côte à côte devant l'âtre. Tout près, il avait disposé l'anorak détrempé de Rita sur le dossier d'une chaise de cuisine. Dès qu'ils étaient arrivés chez lui, il avait changé son pantalon de flanelle et sa chemise blanche pour un jean et un pull de gros lainage irlandais. Rita avait gardé son pantalon de velours aux revers encore humides et son sweat-shirt.

Ils étaient assis l'un à côté de l'autre — mais pas trop près — en chaussettes, le dos appuyé contre le canapé en cuir qui avait connu leurs ébats deux semaines auparavant.

Ils avaient fait comme si de rien n'était, mais Matthew était certain que Rita y avait pensé tout comme lui, dès la première seconde où ils étaient entrés dans la pièce.

Dans son souvenir, cette nuit-là n'avait été que passion, désir, rage et chagrin. Pourtant, ce soir, au même endroit, en compagnie de la même femme, il n'éprouvait que douceur, chaleur, amitié et intimité. Et apparemment, il en était de même pour elle.

Il lui paraissait surprenant qu'ils puissent tous deux partager des émotions aussi différentes au même instant, dans un même lieu.

— Allez, parlez-moi un peu de ce déséquilibré, dit-il en prenant son courage à deux mains.

C'était le moment ou jamais d'aborder de nouveau le sujet. Il n'était plus sous le coup de la surprise et, surtout, il fallait à tout prix qu'il fasse prendre conscience à Rita qu'il n'y avait absolument rien d'effrayant dans ces cadeaux. Il souhaitait dissiper ses craintes. Mais il continuait de s'interroger sur la façon dont il allait réussir ce tour de force sans se démasquer.

Certes, avouer la vérité serait le plus simple, encore eût-il fallu qu'il puisse expliquer clairement son geste.

Comment imaginer que Rita puisse comprendre ses craintes ? Et que ferait-il si elle prenait mal la chose ? Que se passerait-il si elle se méprenait sur ses intentions ?

D'une façon ou d'une autre, il lui devait cependant la vérité, conclut Matthew. C'était le seul moyen de la tranquilliser en lui faisant comprendre qu'il n'y avait rien de mal derrière ces cadeaux anonymes. Il n'y avait plus qu'à espérer que l'occasion se présente tout naturellement pendant leur conversation. Parce que sinon…

Il allait forcément trouver un moyen de se sortir de ce mauvais pas, tenta-t-il une fois de plus de se rassurer. Il réitéra sa demande.

— Parlez-moi donc de ce type qui vous harcèle.

Il devina plus qu'il ne vit le léger haussement d'épaules de la jeune femme en réponse à sa requête, car la seule lumière dans la pièce provenait de la douce lueur dorée des flammes dans la cheminée. Sans parler du fait que ni l'un ni l'autre n'osaient franchement se regarder et préféraient garder son regard rivé sur le feu.

— Je vous ai dit tout ce que je savais, dit Rita. Il s'agit d'un gars qui travaille à l'hôpital et qui laisse des petits cadeaux à mon intention dans le bureau des infirmières. Mais je ne sais pas qui il est, ni pourquoi il se comporte de cette façon.

— Vous êtes sûre que c'est un homme ? demanda Matthew, histoire de tester la température de l'eau avant de s'aventurer plus au large.

— Je suppose, répondit Rita. J'ai du mal à imaginer une femme agissant de la sorte. Nous sommes généralement plus directes.

— Comme Glenn Close dans *Liaison Fatale*, se força à plaisanter Matthew.

— Je vous en prie, il ne faut pas rire avec ça, protesta doucement Rita.

A sa voix, Matthew devina combien elle était bouleversée. Lentement, il tourna les yeux vers elle. Leurs regards se croisèrent. Elle était réellement effrayée, constata-t-il avec embarras.

Quel imbécile ! Comment avait-il pu être aussi stupide ? Dire que tout ce qu'il voulait, c'était faire plaisir à Rita Barone. Bravo, le résultat était très réussi !

— Pardonnez-moi, dit-il.

Il s'excusait non pas tant pour s'être moqué des peurs de Rita que pour les avoir provoquées. Et pour tant d'autres choses encore…

— Je sais bien que c'est idiot, mais cette histoire finit vraiment par m'inquiéter, murmura la jeune femme en croisant les bras et en posant les mains sur ses épaules dans un geste inconscient de protection.

— C'est peut-être simplement quelqu'un qui tient à vous remercier à sa manière parce que vous avez fait quelque chose pour lui, proposa Matthew.

L'explication semblait plausible. Tout à fait logique. Et ça ne l'accusait pas forcément. D'autant qu'après avoir noté la peur qui transparaissait dans la voix de Rita, et même dans son attitude, un aveu de sa part était tout compte fait à reconsidérer. Il ne savait pas exactement où il en était avec Rita. Il n'avait toujours aucune idée de la façon dont elle pourrait réagir. Et l'idée qu'elle puisse se moquer de lui était tout simplement intolérable.

La jeune femme secoua la tête.

— Je ne me souviens pas avoir fait quoi que ce soit d'extraordinaire ces derniers temps, dit-elle.

— Un geste qui vous semble normal peut paraître extraordinaire à toute autre personne, observa Matthew en se souvenant de la façon dont elle s'était comportée avec Joe, le sans-abri.

Ce jour-là, Rita Barone avait été tout simplement extraordinaire. Il n'avait jamais vu personne réconforter un autre être humain avec autant d'amour.

— Et puis, c'est peut-être vous qui êtes extraordinaire, ajouta-t-il doucement.

Rita secoua la tête avec un petit sourire triste.

— Je suis pourtant tout ce qu'il y a de plus ordinaire.

— Certainement pas ! se récria Matthew.

Il se mordit aussitôt les lèvres. Pour une fois, lui qui était si appliqué à cacher ses émotions et à exprimer seulement la moitié de ce qu'il pensait réellement, il n'avait pas pu se taire.

Mais au point où il en était, autant s'exprimer jusqu'au bout…

Lentement, il se tourna vers Rita. Les flammes dans la cheminée montaient droites et ronflaient, plaquant des éclaboussures d'or sur son fin visage. Il tendit la main et la posa sur sa joue.

— Rita, dit-il doucement en plongeant son regard dans le lac brun de ses yeux. Vous êtes la femme la plus extraordinaire que je connaisse. Et si vous n'en avez pas conscience, alors il n'y a rien d'étonnant à ce que vous n'ayez pas encore découvert la vérité sur ce soi-disant déséquilibré qui vous poursuit de ses assiduités.

9.

A la lueur orangée des flammes, Rita regarda Matthew. Elle fronça les sourcils avec un mouvement de tête incrédule, visiblement étonnée par ce qu'il venait de déclarer.

— Qu'entendez-vous par là ? demanda-t-elle d'une voix incertaine.

Matthew hésita une fraction de seconde avant de lui répondre :

— Ni plus ni moins que ce que je viens de dire. Vous êtes tout simplement extraordinaire, mademoiselle Barone.

Rita secoua doucement la tête en signe de dénégation, mais cela ne fit qu'intensifier la caresse légère des doigts de Matthew restés sur sa joue. La chaleur rassurante irradia tout son corps.

— Vous le pensez vraiment ? demanda-t-elle calmement.

Cette fois, Matthew n'hésita pas.

— Oui, je le pense sincèrement.

Et avant qu'elle n'ait eu le temps de réaliser ce qu'il s'apprêtait à faire, il se pencha vers elle et posa ses lèvres sur les siennes.

Ce fut un baiser comme Rita n'aurait jamais imaginé en recevoir. Un baiser tout à la fois confiant et timide. Un baiser exigeant, mais aussi une demande. Comme si Matthew se débattait au milieu d'un tourbillon d'émotions qu'il ne comprenait pas lui-même, et qu'il essayait de faire passer à travers ce baiser.

« Tant mieux », songea-t-elle confusément. Tant mieux parce qu'ils étaient ainsi sur un pied d'égalité. Pas plus que lui, elle ne savait où elle en était et où tout cela allait les mener. La seule chose dont elle était sûre, c'est qu'il lui était impossible de résister à une bouche aussi tendre, aussi douce, aussi persuasive.

Durant de longues minutes, ils ne firent que s'embrasser. Les doigts de Matthew traçaient inlassablement un chemin délicat le long de la mâchoire de Rita jusqu'à la commissure de ses lèvres. L'art du baiser semblait être devenu son unique préoccupation. Encore et encore, il inclinait la tête vers elle, une fois d'un côté, une fois de l'autre pour goûter et explorer sa bouche. N'y tenant plus, Rita égarait parfois les doigts dans ses cheveux. Elle adorait sentir ses boucles châtains, douces comme de la soie, s'enrouler autour de ses doigts.

Puis, imperceptiblement, leurs corps se rapprochèrent. Rita sentit d'abord la pression de la cuisse de Matthew contre sa jambe, puis sa hanche qui frôlait la sienne, et enfin son épaule. A chaque étape, Matthew approfondissait son baiser jusqu'à ce que celui-ci se transforme en une étreinte passionnée, une étreinte qui menaçait de s'emballer hors de tout contrôle, réalisa soudain la jeune femme.

Un dernier lambeau de raison, enfoui au plus profond d'elle-même, vint brutalement réveiller sa volonté affaiblie.

« Assez ! lui criait une voix impérative. Arrête-le ! Rappelle-toi ce qu'il t'a fait ! Il t'a jetée dehors après t'avoir fait l'amour. »

Son cerveau se remit à fonctionner. Non, pas question de renouveler l'expérience ! S'il récidivait, elle ne survivrait pas à une nouvelle humiliation.

S'arrachant au baiser, elle s'écarta vivement de Matthew. Tremblante, elle se mit debout et s'avança vers la cheminée, lui tournant le dos de telle sorte qu'elle ne pouvait voir son beau visage tendu par le désir. Elle plongea son regard dans les flammes. Un seul feu suffisait, se dit-elle avec amertume.

Il n'y avait aucune raison pour en déclencher un autre. Surtout s'il devait s'éteindre aussi vite que le précédent.

Elle devina plus qu'elle n'entendit le soupir étouffé de Matthew. Mais il n'esquissa aucun mouvement pour la suivre.

— Rita…, dit-il doucement. Qu'est-ce qui ne va pas ?

La jeune femme prit alors conscience de sa respiration hachée. On aurait cru qu'elle venait de courir un cent mètres. Elle prit une profonde inspiration, s'efforçant de calmer les battements désordonnés de son cœur.

Elle entendit Matthew bouger derrière elle. Impossible de savoir s'il s'était levé ou s'il avait simplement changé de position. Elle n'osait affronter son regard. La gorge sèche, elle avala sa salive avec difficulté. Il fallait à tout prix qu'elle sache pourquoi il l'avait renvoyée l'autre soir, après lui avoir fait l'amour. Mais elle ne savait comment le lui demander sans laisser transparaître sa gêne et son désespoir.

— Matthew, puis-je te poser une question ?

Le tutoiement lui était venu spontanément tant le moment et le sujet étaient intimes.

— Bien sûr.

— L'autre nuit…, commença-t-elle.

Elle s'interrompit tant il lui semblait difficile de prononcer un mot de plus.

— Oui ? l'encouragea Matthew.

« Demande-le-lui tout simplement ! » s'exhorta-t-elle au comble de l'embarras.

— Après que nous avons…

Elle prit une nouvelle inspiration et s'obligea à respirer lentement.

— Après que nous… avons fait l'amour.

— Oui ?

La voix de Matthew ne montrait aucune trace d'émotion.

— Pourquoi m'as-tu… demandé de partir ?

Elle l'entendit bouger de nouveau. Plus près, cette fois. Elle sentit sa présence derrière elle.

A la lueur du feu, des ombres dansaient sur le parquet à ses pieds. La silhouette de Matthew se confondait avec la sienne. Et quand elle inspira, Rita sentit son parfum. Cette odeur de propre, cette odeur masculine qui n'appartenait qu'à lui.

Son ton était calme et posé quand il lui répondit.

— Je regrette. Je n'aurais pas dû faire ça.

— Mais pourquoi m'avoir demandé de partir ? insista-t-elle d'une voix faible.

Matthew hésita une seconde.

— Parce que tu semblais croire que je n'étais pas sensible à ce qui venait de se passer entre nous. Tu ne pensais pas que je *puisse* apprécier le fait que je sois le premier homme auquel tu te sois offerte.

Rita se retourna vivement vers lui, son beau regard brun empli de confusion.

— Je n'ai jamais dit ça, protesta-t-elle dans un souffle.

— Malheureusement, si. C'est ce que tu as dit, soutint Matthew d'une voix lasse.

Ses yeux contenaient plus de tristesse que Rita n'en avait jamais vu.

Abasourdi, elle tenta de stimuler la mémoire de son cerveau engourdi pour comprendre ce à quoi Matthew faisait allusion. Quand ses paroles lui revinrent brusquement à l'esprit, elle secoua la tête, incrédule.

— Mais je n'ai jamais dit ça ! J'ai simplement dit que je ne pensais pas que le fait que je sois vierge puisse changer quoi que ce soit pour toi.

— Exactement. Rappelle-toi, tu as même jugé bon de me demander si c'était important pour moi comme si tu n'imaginais pas une seconde que je puisse être bouleversé par le privilège que tu venais de m'accorder.

— Mais…

— Alors qu'en réalité, Rita, poursuivit Matthew sans tenir compte de son objection, rien n'aurait pu compter plus à mes yeux.

— Mais…

— Et que tu puisses me croire à ce point insensible, aussi dénué de cœur, prouve simplement que tu es d'accord avec la façon dont tout le monde me juge à l'hôpital.

Visiblement déconcertée, Rita fronça les sourcils.

— Que veux-tu dire par là ?

— Simplement que toi aussi tu me considères comme un monstre. Un monstre incapable d'éprouver des sentiments pour la femme que tu es, conclut Matthew avec un léger haussement d'épaules.

— Oh, Matthew…

— Alors qu'en réalité, ce que j'éprouve…

Il ne termina pas sa phrase. Il n'avait pas le droit. Pas le droit ou pas le courage de s'autoriser à exprimer ouvertement ses émotions. Peut-être se trompait-il. Peut-être Rita n'éprouvait-elle pas d'attirance pour lui mais seulement de la pitié…

Alors, il se contenta de la dévisager comme si elle était la réponse à toutes ses prières.

Son regard rivé au sien, elle écarta les lèvres. Elle aurait tant voulu dire quelque chose, faire quelque chose, pour lui montrer combien il comptait pour elle, combien ses sentiments pour lui étaient… forts.

Doucement, comme si elle avait peur de l'effaroucher, elle posa une main légère sur la joue de l'homme qui lui faisait face, le regard vacillant entre espoir et désespoir. Lentement, elle parcourut son visage, de son menton piquant d'une barbe d'un jour jusqu'aux cheveux si doux. Elle tendit l'autre main pour caresser sa joue marquée par ces cicatrices qu'il croyait si repoussantes. Puis, se dressant sur la pointe des pieds, elle approcha ses lèvres des siennes.

A l'instant où leurs bouches allaient se toucher, elle eut soudain envie de lui demander pardon, de dire qu'il fallait l'excuser, elle n'avait pas voulu dire ça. Il dut lire cette pensée dans son regard, car elle n'avait pas articulé un mot qu'il lui faisait signe de se taire d'un imperceptible mouvement des lèvres.

Alors, Rita l'embrassa avec toute sa générosité, toute sa sensibilité, en espérant lui faire comprendre combien elle l'aimait. Parce qu'elle était trop effrayée pour prononcer ces mots à voix haute.

Ce sentiment était encore si neuf, si fragile aussi, qu'elle n'osait l'exprimer de peur de tout gâcher. Mais elle voulait le lui faire savoir. Par son baiser.

Et Matthew sembla comprendre. Il la prit par les coudes, glissa ses mains dans les manches de son sweat-shirt et la retint par les bras. Délicatement, il l'attira à lui et lui rendit son baiser avec tout autant d'émotion, tout autant de désir, tout autant d'espoir.

Le cœur battant, Rita eut l'impression d'avoir touché au but. Elle faillit s'évanouir au contact des doigts de l'homme qu'elle aimait sur la peau de ses bras. Elle n'avait jamais ressenti une telle émotion. Pas même lors de leur première nuit. C'était une émotion nouvelle. Une émotion d'une intensité stupéfiante. Soudain, elle vivait plus intensément qu'elle n'avait jamais vécu. Elle savait à présent ce que c'était que d'aimer d'amour. Plus que du désir, c'était une reconnaissance instinctive. Elle lui était destinée, à lui, et à personne d'autre.

Mais Matthew l'aimait-il autant qu'elle l'aimait ? Et désirait-il autant qu'elle que ce sentiment soit éternel ?

Toutes les questions qui agitaient son esprit se dissipèrent quand elle le sentit attraper le bas de son sweat-shirt et tirer dessus, s'offrant l'accès à ses seins. Rita avait l'impression de s'abandonner à la chute libre. Et dans le tourbillon de la descente, la bouche de Matthew courant sur ses lèvres, dans son cou, sur sa peau, restait son seul point d'ancrage.

Elle leva les bras pour l'aider à faire passer le sweat-shirt par-dessus sa tête. Lentement, il la fit pivoter, embrassa sa nuque, et d'un imperceptible mouvement des doigts, fit sauter l'agrafe du soutien-gorge. Puis, de nouveau, il la fit se tourner face à lui. Dans un réflexe de pudeur, et parce qu'elle se sentait soudain terriblement vulnérable tant elle était bouleversée, Rita voulut croiser les bras sur sa poitrine. Mais quelque chose dans les yeux de son compagnon interrompit son geste. Une lueur brûlante. Une lueur de désir. Le regard rivé sur ses seins nus, il tendit la main vers sa poitrine avec une lenteur torturante.

— Tu es si belle, murmura-t-il dans un souffle.

Doucement, délicatement, d'un doigt léger comme une plume, il suivit la courbe d'un sein, dessinant un cercle, et recommença encore, et encore. A chaque nouveau cercle qui allait en se rapprochant de la pointe de son sein, Rita sentait son cœur cogner plus vite, sa respiration s'accélérer. Et quand Matthew atteignit l'aréole sombre, elle poussa un soupir. Un soupir qui trahissait son attente. Il perçut son désir, car il referma sa main sur son sein.

N'y tenant plus, Rita approcha de nouveau son visage et, lorsqu'il n'y eut plus que quelques centimètres entre eux, Matthew fit la dernière partie du chemin. Leurs lèvres se caressèrent un moment avant de s'ouvrir. Leurs langues s'entrelacèrent, se cherchèrent, se goûtèrent, se touchèrent, approfondissant ce baiser et les émotions qu'il évoquait.

A son tour, Rita entreprit de déshabiller son compagnon avec des gestes d'impatience, s'arrachant à sa bouche juste le temps de faire passer son pull par-dessus sa tête. Aussitôt libéré, Matthew s'empara de nouveau de ses lèvres pour un autre baiser encore plus chaud et plus profond, encore plus pressant. Ses bras se resserrèrent autour d'elle. Son cœur battait fort. Non, Rita n'agissait pas sous l'influence de la pitié. Rien dans ses gestes, dans l'ardeur qu'elle mettait à lui rendre ses baisers, ne pouvait être guidé par d'obscures manœuvres. Matthew en était sûr à présent, ils se désiraient mutuellement, sincèrement, entièrement.

Et comme leurs gestes prenaient de plus en plus d'assurance à mesure que le désir emplissait chaque parcelle de leurs corps, il oublia tout le reste dans la frénésie des sens.

— J'ai envie de toi, chuchota-t-il, sa bouche effleurant la joue de Rita, remontant jusqu'à son oreille. Tu m'as tellement manqué. Chaque nuit, je rêve de toi. Je me souviens de ton parfum, de ton goût, et je me souviens de ta douceur quand j'ai plongé dans ta chair. Et le désir me submerge. Une fois ne me suffit pas. J'ai l'impression que je ne serai jamais rassasié de toi.

Ces derniers mots, Rita s'efforça de ne pas les entendre, de les occulter. Il était simplement en train de lui dire qu'il voulait faire l'amour avec elle. Elle s'était pourtant juré que la prochaine fois qu'elle ferait l'amour, ce serait avec un homme qu'elle espérerait garder pour toujours — et qui espérerait lui aussi la garder pour toujours.

Mais comme Matthew emprisonnait de nouveau ses lèvres, ses promesses s'évaporèrent avec ses derniers atomes de lucidité. Elle ne pouvait refuser. Elle ne pouvait supporter l'idée de le repousser. Tout en elle désirait sa force, la chaleur de son corps. A être dans ses bras, elle éprouvait une sensation d'être là où elle devait être, une sensation de contentement au tréfonds de son âme. Elle voulait de nouveau le sentir se fondre en elle.

— Moi aussi, j'ai envie de toi, chuchota-t-elle.

Elle sentit les mains de Matthew se déplacer fiévreusement sur ses épaules, descendre le long de son dos, tracer la ligne délicate de sa colonne, puis faire glisser lentement, millimètre par millimètre, la fermeture Eclair de son jean. Et quand ses jambes se dérobèrent, il accompagna sa chute lente sur le tapis devant la cheminée.

Une fois au sol, ils se cramponnèrent l'un à l'autre de plus belle, se caressant, s'explorant, s'embrassant partout où ils pouvaient s'atteindre. Puis, il se déshabilla à son tour sous le regard de Rita, devant les flammes qui dansaient sur sa peau. Il ne ressentait en lui nulle honte, et en elle pas davantage. Tout semblait si naturel.

Il s'agenouilla devant elle, passa ses mains puis ses lèvres sur l'intérieur de ses cuisses et lui enleva doucement son slip. Un modèle tout simple de coton blanc sans dentelle, cette fois-ci. Il lui embrassa le ventre et descendit entre ses jambes. Puis il commença de s'enfoncer doucement dans sa moiteur…

C'est alors, qu'il la sentit se raidir.

Inquiet, il la regarda.

— Matthew, réussit-elle à murmurer le souffle court. Nous… nous devons arrêter. Tout de suite.

— Que veux-tu dire ? demanda-t-il le souffle court, lui aussi.

Le corps saisi par la montée du désir, Rita rejeta la tête en arrière. Elle non plus n'avait pas envie de rompre cet instant magique où elle était si proche… Où ils étaient si proches…

Mais les mots réussirent à franchir la barrière de ses lèvres.

— Je pourrais tomber enceinte, souffla-t-elle.

Matthew s'immobilisa, mais ne se retira pas.

— Nous n'avons pris aucune précaution, insista Rita.

— La dernière fois non plus, observa-t-il calmement.

Sa voix était égale et ne laissait rien transparaître de ce qu'il pensait ou ressentait.

— Tu pourrais déjà être enceinte, ajouta-t-il avec un calme encore plus surprenant.

Rita secoua la tête.

— Non, je ne le suis pas. Nous avons eu de la chance.

— Crois-tu ?

Si elle n'avait eu l'esprit aussi confus, Rita lui aurait certainement demandé ce qu'il entendait par là. Au lieu de ça, elle murmura :

— Je préfère ne pas prendre de risque.

Elle le sentit hésiter une seconde, puis il se retira. Déposant un baiser sur son épaule, il chuchota à son oreille :

— J'ai des préservatifs dans la salle de bains. Retrouve-moi dans ma chambre.

Sur ce, il disparut dans l'obscurité. Il s'était évanoui comme par enchantement.

L'esprit en proie à la confusion la plus totale, Rita se redressa lentement. Machinalement, elle s'enveloppa dans un plaid jeté sur le canapé et s'avança vers les escaliers. La chambre de Matthew était probablement à l'étage.

Le feu dans la cheminée lui donnait tout juste assez de lumière pour distinguer son chemin. Parvenue en haut des marches, elle s'immobilisa une seconde. Sur sa droite, au bout du couloir, la lueur tremblotante d'une bougie attira son regard, puis ses pas.

La chambre occupait tout l'angle nord de l'immeuble et, depuis la fenêtre, la vue portait sur les lumières de la ville. La pièce qui était déjà vaste, le paraissait plus encore en raison de son dépouillement. Une bougie était allumée sur le dessus de marbre d'une antique commode en acajou. Un lit au chevet en érable orné d'une volute occupait l'angle opposé de la pièce. L'édredon avait été rabattu, comme une invitation à s'allonger.

Dès qu'elle franchit le seuil de la chambre, Matthew se glissa derrière elle et l'enveloppa de ses bras.

— J'ai cru que tu ne viendrais jamais, murmura-t-il en l'embrassant dans le cou.

Rita sourit. Elle se pencha légèrement en arrière pour épouser son corps.

— Je n'ai pourtant mis que quelques minutes à trouver mon chemin.

— Ça m'a paru une éternité.

Lentement, il la fit se retourner face à lui et fit glisser de ses épaules le plaid dont elle s'était enveloppée. Puis, laissant filer une main dans le bas de son dos pour amener ses hanches contre les siennes, il s'empara de nouveau de ses lèvres, et doucement la poussa vers le lit où ils roulèrent enlacés.

Et comme la première fois, ce fut pour Rita comme si on réveillait dans ses reins une brûlante source de vie qui déferlait à l'intérieur de son corps. Elle sentit la caresse des mains de Matthew sur ses seins et ouvrit les yeux pour le voir en taquiner les pointes de ses dents. Alors, affolée de désir, elle enroula ses longues jambes autour de lui, le prit au-dedans de son corps.

Ils évoluaient ensemble comme deux danseurs, chacun œuvrant comme l'exquis complément de l'autre. Et leur passion allait croissant. Mêlés l'un à l'autre, l'un dans l'autre, ils se donnèrent sans retenue, jusqu'à ce qu'ensemble, ils basculent sur l'autre versant, en chute libre, se tenant très fort l'un à l'autre.

Ils restèrent de longues minutes enlacés, à bout de forces, hors d'haleine. Le visage enfoui dans les cheveux de Rita, Matthew respirait son parfum. Quand il bougea pour se retirer, instinctivement, elle le retint. Comme si elle craignait que cette fois encore il ne l'abandonnât et lui demandât de partir. Alors, doucement, il lui caressa la joue et lui sourit. C'était un sourire tendre, quoiqu'un peu triste.

— N'aie pas peur. Je ne vais pas appeler un taxi. Je dois seulement faire attention à ne pas te faire prendre de… risques.

Rita ferma les yeux, un peu honteuse de sa réaction.

Matthew ne la quitta que quelques instants. Elle sentit le matelas s'enfoncer légèrement sous son poids quand il revint s'allonger à côté d'elle. La présence de ce corps doux et chaud contre le sien était rassurante. Elle se sentait bien. Elle se sentait aimée…

Il avait passé un bras sur sa taille et posé sa main sur son sein. Comme il en effleurait délicatement la pointe du pouce, Rita frissonna de plaisir.

— Tu as froid ? demanda-t-il.

Elle secoua la tête.

— Pas du tout, souffla-t-elle.

— Je peux rabattre l'édredon.

— Non. J'adore être ainsi avec toi, dit-elle en se tournant de côté pour le regarder. Savez-vous, docteur Grayson, que vous avez un corps splendide ?

— Dans l'obscurité, peut-être, commenta Matthew avec un coup d'œil sur la faible lueur dispensée par la bougie. En pleine lumière, ce n'est pas précisément ce que l'on pourrait appeler une œuvre d'art.

Il voulait bien sûr parler de ses cicatrices. Rita le comprit. Désireuse de lui prouver que celles-ci ne changeaient rien à ce qu'elle éprouvait pour lui, elle leva la main vers son épaule et du bout des doigts, effleura tendrement la peau blessée.

— A mes yeux, tu es très beau.

Le ton était catégorique.

Silencieux, Matthew la dévisagea un long moment. Puis, il lui saisit la main qu'elle avait posée sur ses cicatrices, et en pressa la paume contre ses lèvres avant de la placer de nouveau sur son épaule. Toujours silencieux, il continuait de regarder Rita comme s'il n'arrivait pas à croire qu'elle soit réelle. Enfin, posant la main sur sa nuque, il attira son visage vers le sien et l'embrassa.

Mais cette fois, ce ne fut pas un baiser sensuel, possessif, exigeant. Ce fut un baiser de joie pure, une façon de lui dire combien il était heureux qu'elle soit là, avec lui.

— Passons le week-end ensemble, murmura-t-il contre ses lèvres. Reste ici jusqu'à ce que la tourmente s'éloigne.

A ces mots, Rita sentit quelque chose palpiter en elle. Quelque chose qu'elle se refusa à nommer. Quelque chose qui pouvait être l'espoir. Se pouvait-il que le désir qui les habitait ne soit pas éphémère ?

Elle éprouvait un curieux mélange de joie et de crainte. Joie parce qu'elle désirait ardemment se blottir dans les bras de Matthew jusqu'à ce que la tempête soit passée. Crainte, parce qu'elle savait que la tempête d'émotions qui agitait son cœur, elle, n'aurait pas de fin.

Il souhaitait qu'elle reste avec lui, ce week-end. Mais après, qu'adviendrait-il ? N'allait-elle pas l'entendre dire d'ici à lundi qu'il était désolé, que ç'avait été une erreur et qu'il valait mieux oublier ce qui s'était passé ?

Mais il y avait tant d'attente, tant d'inquiétude dans son sourire tandis qu'il la regardait, guettant sa réponse, qu'elle en fut bouleversée. Le « non » qui s'était formé dans son esprit, elle ne voulait pas le prononcer. Ils avaient deux jours devant eux — deux jours et deux nuits. Et Rita résolut de ne plus vivre, de ne plus respirer que pour cela. Peu importaient les jours précédents et ceux qui suivraient, ce moment-là demeurerait à jamais gravé dans sa tête et dans son cœur.

— D'accord, je reste…

10.

Ils se quittèrent le dimanche, tard dans la soirée, bien après que la tempête se fut éloignée, bien après que les chasse-neige eurent déblayé les rues et rendu la ville à la circulation.

Rita serait volontiers restée plus longtemps. Elle se contraignit cependant à rentrer chez elle. Il lui fallait un peu de temps pour remettre de l'ordre dans ses émotions avant de retourner travailler le lundi matin. Elle avait besoin de réfléchir à ce qu'elle éprouvait pour Matthew. Et elle se doutait qu'il avait lui aussi besoin de se retrouver seul pour faire le point sur ses propres sentiments.

Leur week-end s'était déroulé comme dans un rêve, hors de toute réalité. Mais lundi matin, c'était le monde réel dans lequel ils travaillaient tous deux, qu'il leur faudrait affronter. Et Rita préférait s'y préparer au cas où Matthew reprendrait l'attitude froide et distante du redouté Dr Grayson.

Pourtant, elle n'arrivait pas à croire que cela puisse se passer ainsi, surtout après la façon dont ils s'étaient quittés. Il l'avait raccompagnée chez elle en voiture et, sous le porche du vieil immeuble en briques, il l'avait tendrement embrassée avant de lui remettre délicatement entre les mains le vase de cristal contenant la rose. Bizarrement, il n'avait fait aucune remarque à propos de celle-ci. Mais durant tout le week-end, il en avait pris un soin tout particulier, veillant à ce qu'elle ait assez d'eau et soit placée près d'une fenêtre. Ce n'était qu'un aspect attendrissant parmi d'autres de la personnalité pleine de charme de Matthew que Rita avait découverte lors des moments enchanteurs passés ensemble. Cette tempête de neige avait tout simplement enveloppé leur week-end d'une sorte d'aura magique, irréelle, et peut-être trompeuse. La vérité, Rita le pressentait, se ferait jour, ce lundi matin, lorsque tous deux reprendraient le travail. Il ne lui restait plus qu'à espérer…

Mais, ce lundi matin, la première chose qu'elle vit en arrivant dans le bureau des infirmières, ce fut le petit mot de Matthew dans sa corbeille à courrier.

« Je serai absent aujourd'hui. Rendez-vous ce soir pour dîner, au Darian's, à 19 heures. Il faut que je te parle.

Matthew. »

De quoi voulait-il parler ? s'interrogea la jeune femme, l'estomac subitement noué par l'inquiétude.

Elle plia la feuille de papier et la glissa dans la poche de sa blouse.

Ce soir, elle saurait.

Rita connaissait de réputation le restaurant choisi par Matthew. C'était l'un des endroits les plus chics de Boston. Après avoir longuement hésité, elle avait fini par jeter son dévolu sur la petite robe noire qu'elle portait pour la soirée des Barone. Elle n'avait pas le choix, c'était l'unique tenue dans son armoire qui soit suffisamment habillée pour la circonstance.

Comme elle jetait un dernier coup d'œil sur son reflet dans le miroir, elle ne put s'empêcher de songer aux mains de Matthew faisant doucement glisser les bretelles de cette même robe sur ses épaules, la première nuit où ils avaient fait l'amour. Et même si elle n'osait se l'avouer, elle mourait d'envie que la scène se renouvelle, encore et encore…

Elle n'était pourtant pas le genre de fille à se faire des illusions ou à croire aux miracles. Pour preuve, jusqu'à ce que la tempête de neige ne vienne tout remettre en question, elle avait réussi à se convaincre que ça ne marcherait jamais entre elle et Matthew. L'histoire était finie avant même d'avoir commencé. Mais à présent, après le week-end qu'ils venaient de passer ensemble, elle ne pouvait s'empêcher d'espérer de nouveau que leur relation soit autre chose qu'une simple aventure. Pire, elle ne pouvait même plus imaginer la vie sans Matthew…

Elle ne l'avait pas vu depuis la veille au soir et elle sentait déjà le manque opérer son travail de sape. Vingt-quatre heures sans lui, c'était tout ce qu'elle pouvait endurer. Elle réalisait seulement maintenant à quel point elle l'aimait. Ou plutôt, c'était seulement maintenant qu'elle acceptait cette réalité.

Elle l'aimait déjà bien avant la fameuse soirée organisée par les Barone. Mais à cette époque, elle avait prétendu confondre cet amour avec l'admiration sans borne qu'elle éprouvait pour le jeune et talentueux chirurgien.

Dès leur première rencontre, elle avait deviné sous le masque froid et arrogant du médecin réputé irascible une fêlure et une grande vulnérabilité. Et quand il lui avait confié ce qu'il avait vécu, l'enfer dont il était revenu, une vague de tendresse l'avait submergée. Une tendresse si profonde aujourd'hui qu'elle en était presque insoutenable.

Rita ferma les yeux.

Ce dernier week-end avait tissé entre eux une toile de plus en plus serrée et elle ressentait leur séparation comme une sorte de mutilation, un vide qui avait grandi en elle au fil des heures de la journée. La présence de Matthew lui semblait soudain aussi vitale que le simple fait de respirer. D'ailleurs, n'en avait-il pas toujours été ainsi, plus ou moins inconsciemment ?

Elle sourit au souvenir d'une anecdote…

C'était au tout début de son arrivée en cardiologie, lors d'une pause déjeuner, l'équipe d'infirmières s'était amusée autour d'une question : « Si vous deviez vous retrouver sur une île déserte avec un gars de l'hôpital, qui choisiriez-vous ? »

La plupart des filles avaient bien entendu cité les noms de quelques séduisants internes. Mais quand était venu le tour de Rita, elle avait surpris tout le monde en déclarant que le Dr Grayson lui semblait l'homme idéal dans une telle situation. Ses collègues n'avaient pas cherché à masquer leur stupéfaction, et certaines s'étaient même écriées qu'elle était complètement folle. Mais Rita ne s'était pas démontée pour autant. Elle avait tenu à défendre son choix. En dépit de son caractère austère, le Dr Grayson était un homme intelligent, raisonnable et bien élevé. Il était également doué d'un grand sens pratique et d'un sang-froid à toute épreuve qui lui permettrait sans nul doute d'assurer leur survie.

Elle comprenait à présent combien le jeune médecin l'attirait déjà à cette époque. Par la suite, cette attirance s'était faite chaque jour un peu plus forte. Et lorsqu'elle avait découvert l'amour physique dans ses bras, elle avait enfin réalisé à quel point il comptait pour elle. Si elle s'était donnée à lui sans réserve, c'était tout simplement parce qu'au plus profond d'elle-même, elle savait qu'il était l'homme dont elle rêvait de partager la vie, celui auquel elle désirait s'offrir. Parce qu'elle en était éperdument, irrémédiablement amoureuse.

A présent, il ne lui restait plus qu'à prier pour que ses sentiments soient partagés. Elle ne savait pas au juste comment elle réagirait si Matthew ne voyait dans leur idylle qu'une aventure éphémère. Elle ne voulait même pas y penser.

Inviter une femme à dîner chez Darian's, constituait en soi un bon présage, tenta de se rassurer Rita en poussant la porte du célèbre restaurant.

Il était tôt et de nombreuses tables étaient encore inoccupées. Au centre de la salle, des palmiers en pot encerclaient une petite fontaine d'où fusait la courbe gracieuse d'un jet d'eau.

Quelque peu intimidée, la jeune femme jeta un coup d'œil circulaire. Elle aperçut immédiatement Matthew. Il se tenait près de la réception, le regard rivé sur la porte comme s'il craignait de manquer son arrivée.

Il était vêtu d'un élégant costume gris anthracite, éclairé d'une chemise blanche et d'une cravate parfaitement assortie dans les tons de prune. Et bien qu'après le week-end passé ensemble, Rita ait décidé qu'elle le préférait tout compte fait en jean et en pull — ou mieux, sans rien sur le corps — elle ressentit une étrange faiblesse dans les genoux quand elle le vit.

Il était tellement séduisant. Et de façon charmante, si peu conscient de son pouvoir de séduction. Si tendre, aussi. Si attentionné… Rita lui adressa un petit sourire hésitant. Elle se sentait terriblement nerveuse.

— Bonsoir, dit-elle doucement.

En retour, il lui adressa son plus beau sourire. Un sourire confiant. Rita sentit une chaleur rayonner en elle, et en conçut aussitôt une sensation de contentement au tréfonds de son âme. Elle ne put réprimer un petit soupir de pure satisfaction en s'avançant vers lui.

— Vous êtes très belle, mademoiselle Barone, lui dit-il en guise de salut.

— Vous n'êtes pas mal non plus, docteur Grayson, se força-t-elle à plaisanter.

Surprise, elle le vit se pencher vers elle pour effleurer ses lèvres d'un baiser. Ce fut bref, mais spontané. Une marque de tendresse qui fit fondre Rita. Matthew Grayson l'avait embrassée en public…

Comme il se redressait, le maître d'hôtel s'approcha. Leur table était prête.

Matthew prit la main de Rita et la conduisit à une table magnifiquement dressée près d'une baie vitrée donnant sur un jardin intérieur brillamment éclairé par des torches. Ils n'étaient pas plus tôt assis qu'un serveur se matérialisa à leur côté. Après un rapide coup d'œil sur la carte des vins, Matthew proposa un dom Pérignon en apéritif.

Il paraissait impatient, songea Rita en le regardant passer la commande. Il voulait discuter avec elle, avait-il précisé dans son message. Ce devait être terriblement important, s'inquiéta-t-elle en le voyant soudain si nerveux, lui, le roi du self-control.

— Qu'est-ce qui ne va pas ? demanda-t-elle pour l'encourager. Il y a un problème ?

Matthew lui jeta un regard surpris.

— Un problème ? répéta-t-il machinalement. Pas du tout. Pourquoi me demandes-tu ça ?

Rita haussa légèrement les épaules. Elle n'était guère plus avancée.

— Sur ton petit mot, tu disais que tu voulais me parler, lui rappela-t-elle. Tu avais forcément quelque chose en tête.

Matthew ne répondit pas tout de suite. Il se contenta de la dévisager en silence. Et brusquement, Rita se mit à douter. Etait-il possible qu'elle se soit méprise sur son attitude quelques instants plus tôt, lorsqu'il l'avait accueillie d'un baiser ? Saurait-elle cacher son désarroi, saurait-elle retenir ses larmes, si cette soirée n'était rien d'autre qu'une soirée d'adieu ?

— Ce n'est pas tant ce que j'ai en tête, mais plutôt ce que j'ai dans ma poche.

La voix de Matthew la fit sursauter.

— De quoi parles-tu ? demanda-t-elle avec méfiance.

Une fois de plus, il la contempla un long moment sans mot dire. Puis, comme il se décidait enfin à plonger la main dans sa poche, le maître d'hôtel revint leur présenter la bouteille de vin demandée.

Immédiatement, Matthew interrompit son geste et reposa la main sur la table.

Très professionnel, le maître d'hôtel prit tout son temps pour disposer les verres et les remplir du délicieux breuvage. Rita l'aurait volontiers étranglé. Enfin, il leur sourit en déclarant pompeusement :

— Je vous laisse la carte des plats quelques minutes de plus pour faire votre choix.

Sur ce, il leur tourna le dos et s'éloigna.

Sans perdre une seconde, Rita reporta son attention sur Matthew qui semblait à présent totalement absorbé dans l'étude du menu.

— Il paraît que le médaillon de veau est délicieux, observa-t-il platement.

Rita le maudit silencieusement. Quel que soit ce qu'il était sur le point de sortir de sa poche, il avait manifestement l'intention de la faire patienter avant de le lui montrer. Puisque c'était ainsi…

Elle plongea le nez dans la carte et choisit le premier plat qui lui tomba sous les yeux.

— Pour moi, ce sera des côtelettes d'agneau, décréta-t-elle en relevant les yeux sur Matthew. Et maintenant, revenons à ce que tu disais.

A son tour, il redressa la tête, l'air confus. Puis, son regard s'éclaira.

— Oh, le veau… ! Je disais qu'il était délicieux.

Rita grinça des dents.

— Non, avant ça, insista-t-elle en s'exhortant au calme. Nous parlions de tout autre chose.

— Vraiment ?

— Oui, confirma-t-elle en se mordillant la lèvre inférieure pour faire taire son impatience. Tu…

Elle n'eut pas le temps de terminer sa phrase. Le maître d'hôtel était déjà de retour.

Elle demanda les côtelettes d'agneau, puis elle attendit en rongeant son frein que Matthew ait terminé sa valse hésitation entre le médaillon de veau et le tournedos Rossini. Il se décida finalement pour des filets de sole. Dès que le maître d'hôtel eut tourné les talons, Rita profita des quelques instants d'intimité qui leur étaient de nouveau accordés pour revenir à la charge. Posant les coudes sur la table, elle se pencha vers Matthew.

— Juste avant le veau, dit-elle entre ses dents, en s'efforçant d'adopter le ton posé d'une institutrice face à un bambin récalcitrant. Tu t'apprêtais à dire quelque chose.

Comme Matthew fronçait les sourcils et ouvrait la bouche dans l'intention manifeste de lui dire qu'il ne se souvenait pas, elle l'interrompit d'un geste agacé de la main.

— Tu voulais me montrer quelque chose qui se trouve dans ta poche.

Les yeux de Matthew se plissèrent. Il émit un *tsss* ennuyé, puis hocha la tête.

— Exact, concéda-t-il. Je me le rappelle, maintenant.

« Enfin », ajouta silencieusement Rita.

— Mais cela peut sans doute attendre le dessert.

La jeune femme ferma les yeux et compta mentalement jusqu'à dix avant de les rouvrir.

— Non, déclara-t-elle lentement, calmement. Tu me le dis maintenant.

Leurs regards s'enchaînèrent. Une lueur malicieuse pétillait dans les beaux yeux verts de Matthew et Rita comprit qu'il la faisait marcher.

A demi soulagée, elle lui sourit d'un air entendu.

— Allez, dit-elle en tournant les mains, paumes vers le haut et en agitant les doigts. Montre-moi ce que tu caches dans ta poche.

Matthew la dévisagea encore un long moment avant de se décider enfin à plonger la main dans sa poche une nouvelle fois. Il marqua un instant d'hésitation et parut soudain légèrement anxieux.

— Ferme les yeux, dit-il.

Rita lâcha un soupir mi-amusé, mi-exaspéré.

— Pourquoi ?

— S'il te plaît, fais ce que je te dis.

Il était inutile de perdre du temps à discuter. Rita se redressa, posa les mains sur ses genoux et ferma les yeux. Elle perçut un léger froissement, puis plus rien.

— C'est bon, dit-il d'une voix où perçait comme une petite pointe d'appréhension. Tu peux regarder.

La première chose que vit Rita, ce fut l'inquiétude sur le beau visage de Matthew. Sa gorge se serra. Lentement, elle baissa les yeux sur la table. Et là, elle comprit…

Au centre de son assiette, il y avait une petite boîte. Une petite boîte enveloppée d'un papier blanc retenu par un ruban doré. Une petite boîte identique à celles qui avaient été déposées dans sa corbeille à courrier.

Ainsi, c'était Matthew… C'était donc lui le mystérieux soupirant.

Rita releva les yeux sur lui et comprit pourquoi il avait l'air si ennuyé quand elle lui avait fait part de ses angoisses au sujet de ces cadeaux anonymes. Il n'avait pas osé lui avouer la vérité. Il craignait probablement sa réaction.

D'ailleurs, elle ne savait pas encore au juste comment réagir.

— C'était donc toi ? murmura-t-elle.

Il hocha la tête.

Puis comme elle continuait de le dévisager sans rien dire, il poussa un profond soupir et tenta de s'expliquer.

— La première fois, je voulais simplement te remercier pour ton aide aux urgences. Avec Joe, le sans-abri, tu te souviens ?

Rita acquiesça.

— Bien sûr. Mais je ne faisais que mon travail, Matthew. Tu n'avais pas à me remercier. Tu ne me devais rien.

— Oh, si ! Bien plus que tu ne le crois. C'est grâce à toi que j'ai pu faire mon boulot ce jour-là. Tu as rassuré ce malheureux en lui assurant que j'étais un excellent chirurgien. Le meilleur.

Matthew hésita une seconde avant d'ajouter :

— Et tu as même ajouté que j'étais un homme merveilleux. Tu semblais sincère en disant cela.

— Je le pensais vraiment, confirma Rita d'une voix douce.

— Je sais. C'est surtout pour cela que je voulais te remercier. Personne n'avait jamais parlé de moi de cette façon. Et certainement, personne ne l'avait jamais pensé.

— Oh, Matthew..., murmura Rita, bouleversée.

— Quand je t'ai offert la petite broche en or, poursuivit Matthew, j'ai oublié d'y joindre le petit mot d'accompagnement dans lequel je te remerciais pour ton aide avec Joe. Ce n'est que plus tard, lorsque j'ai eu connaissance des rumeurs qui circulaient sur le compte de ton admirateur mystérieux, que j'ai réalisé mon étourderie. Pour couronner le tout, je ne m'étais même pas rendu compte que c'était le jour de la Saint-Valentin. Il était trop tard pour clarifier la situation. J'étais bien trop gêné.

Il s'interrompit. Alors, bien qu'elle connût la réponse, Rita demanda doucement :

— Et la rose aussi, c'était toi ?

Matthew hocha lentement la tête.

— Je n'étais pas certain que tu ferais la relation avec la date. Il y avait exactement deux semaines depuis cette première nuit...

— Il ne s'est pas passé une seule journée sans que j'y pense, murmura Rita.

— Moi aussi...

Matthew se tut. Il observait la réaction de Rita. Il nota la rougeur qui lui montait aux joues.

— Mais... quelque chose m'intrigue, murmura-t-elle. Pourquoi le bracelet ? Pourquoi le cœur en cristal... ? Comment connaissais-tu la date de mon arrivée à l'hôpital ? Matthew prit une profonde inspiration. Le moment était venu.

— En réalité, ce n'était pas simplement pour te remercier que je t'ai offert le premier cadeau. C'était avant tout parce que tu me plaisais. C'est la raison pour laquelle j'ai continué... Quant à la date de ton arrivée à l'hôpital, je m'en souviens comme si c'était hier. C'était un lundi, j'étais de garde aux urgences. Je te revois traverser la salle d'attente. On aurait dit que tout s'illuminait, par le seul fait de ta présence. Ce jour-là... Je crois bien que ce fut le plus beau jour de ma vie.

Frappée de mutisme, Rita le dévisageait. Et dans ses immenses yeux bruns, Matthew lut l'interrogation muette. Il n'avait plus le droit de reculer. Il devait aller jusqu'au bout. Alors, s'inclinant vers elle, il posa sa main sur la sienne.

— Parce que ce jour-là, Rita, pour la première fois depuis l'accident, je me suis senti en harmonie avec moi-même. Je me suis senti heureux.

Cet aveu fit à Rita l'effet d'une caresse. Elle ne dit rien, de peur que ce flot de douceur qui l'enveloppait ne se tarisse.

— Je n'en ai pas tout de suite pris conscience, poursuivit Matthew. Il m'a fallu attendre ce matin où nous avons été présentés l'un à l'autre. C'était lors de ta mutation en cardiologie. Tu n'as pas paru rebutée par mes cicatrices. Tu m'as dit bonjour sans détourner les yeux d'un air gêné comme le font la plupart pour masquer leur dégoût ou leur curiosité. C'est seulement là que j'ai compris que tu étais quelqu'un d'exceptionnel.

— Je n'ai pourtant rien fait d'extraordinaire, Matthew, observa doucement Rita. Pourquoi aurais-je dû te trouver repoussant ?

Je me souviens seulement avoir songé combien tu étais beau, à la seconde où je t'ai vu.

Matthew ne put réprimer un petit rire plein d'amertume.

— Ne me dis pas que tu n'avais pas remarqué les cicatrices.

— Bien sûr que si. Mais ça n'était pas le plus important à mes yeux.

Il hocha la tête.

— C'est justement ce qui fait de toi une femme exceptionnelle. Une femme dont je suis tombé amoureux dès le premier regard, Rita.

Un instant, elle crut s'évanouir. Les paroles de Matthew l'avaient happée dans un vertige où elle se sentait s'enfoncer. Elle devait se ressaisir. Sans doute avait-elle mal entendu. Ou mal compris…

— Mais…, commença-t-elle n'osant y croire.

— Ouvre la boîte, l'interrompit Matthew comme s'il avait peur de ce qu'elle pourrait dire.

— Mais…

— Je t'en prie, Rita. Ouvre-la. Je te promets que ce sera la dernière.

Puis, il ajouta avec un sourire sans joie :

— D'une façon ou d'une autre. Ce sera la dernière.

Quelque chose dans son intonation bouleversa Rita. Elle aurait tant voulu lui dire combien elle l'aimait, mais les mots restaient bloqués au fond de sa gorge serrée par l'émotion. Et puis, il semblait tenir à ce qu'elle ouvre le petit paquet qu'il avait placé sur son assiette, avant de parler. Alors, elle dénoua le ruban doré et déplia le papier blanc. Il cachait un écrin de velours noir.

Elle leva un regard incrédule sur l'homme qui se tenait devant elle et la dévorait du regard. D'un geste de la main, il lui fit signe de poursuivre. Elle baissa de nouveau les yeux sur la boîte. Puis, retenant son souffle, elle souleva le couvercle de ses doigts tremblants. Une exclamation lui échappa.

Un diamant taillé en forme de cœur, monté sur un anneau de platine, reposait sur le fond de velours noir.

Rita sentit les larmes affluer et sut qu'elle ne réussirait pas à les refouler tant elle était bouleversée. Le cœur plein d'amour, submergée par l'émotion, elle releva la tête pour croiser le regard de Matthew.

— Est-ce… Est-ce une demande ? bredouilla-t-elle d'une voix inaudible.

Il lui sourit. C'était un sourire hésitant. Un sourire empli d'espoir.

— Tu veux bien ?

— Ça dépend, murmura Rita.

Matthew perdit son sourire. Elle le vit pâlir.

— De quoi ?

— Si tu as vraiment dit ce que j'ai cru t'entendre dire il y a à peine une minute.

— A propos de quoi ? s'enquit Matthew, l'air perplexe.

Prenant son courage à deux mains, Rita chuchota :

— Que tu étais amoureux de moi.

L'étonnement se peignit sur le visage de Matthew.

— J'ai dit ça ?

Rita hocha lentement la tête tandis que son cœur commençait à chavirer.

— C'est ce que j'ai cru comprendre. Tu as dit que tu étais tombé amoureux dès le premier regard.

— Oh, je vois, marmonna Matthew d'un ton ennuyé. J'aurais mieux fait de me taire.

Le sang de Rita se figea. Pétrifiée, incapable de dire un mot, elle le scruta. A quel jeu jouait-il ?

— Parce que je m'étais promis d'attendre cette seconde précise pour te le dire, ajouta précipitamment Matthew.

— Me dire quoi ? demanda Rita d'une voix faible.

Il lui sourit tendrement.

— Que je t'aime, bien sûr ! Que je t'aime depuis des années et que je t'aimerai jusqu'à mon dernier souffle.

Ces mots, qu'il se croyait incapable de prononcer, ne lui avaient coûté aucun effort.

Son émotion était presque palpable quand il prit la main de Rita et la porta à ses lèvres. Puis, plongeant son regard dans le sien, il ajouta :

— Alors, qu'en dites-vous, mademoiselle Barone ? Voulez-vous m'épouser ?

Le cœur battant la chamade, elle le contempla un long moment dans un silence stupéfait. Puis, peu à peu, un sourire éblouissant se dessina sur ses lèvres. Il l'aimait et elle l'aimait. C'était si simple…

— Je t'aime moi aussi, Matthew. Je t'aime tant… Je t'ai aimé dès le premier instant. Et je désire partager chaque instant de ta vie.

Elle vit alors le masque d'impassibilité de son compagnon se déchirer et son visage lui apparut soudain dans sa nudité.

— C'est vraiment ce que tu veux, Rita ? demanda-t-il d'une voix rauque.

Elle hocha la tête.

— Tu veux bien rester avec moi ?

— Avec toi.

Elle vit une ombre passer dans son regard.

— Rita. Tu n'es pas obligée de me répondre tout de suite…

D'un geste plein de tendresse, elle effaça le pli soucieux qui barrait son front.

— Si, chuchota-t-elle. Parce que depuis toujours, j'ai rêvé de cette minute. De cette minute où je te dirai oui… Mille fois oui !

Le regard rayonnant, Matthew sortit alors la bague de son écrin et la fit glisser à l'annulaire de la femme qui avait su faire tomber les remparts derrière lesquels il s'était retranché si longtemps. Il pressa ses lèvres contre son poignet.

— Que vont dire tes parents ? s'inquiéta-t-il.

— Oh, maman sera ravie, le rassura Rita. Tous les Barone vont être fous de joie. Et les Grayson ? Que vont-ils penser d'une alliance entre aristocrate et nouveau riche ?

— Pour être franc, je leur en ai déjà parlé. Ils étaient tellement bouleversés qu'ils ont réagi d'une façon tout à fait contraire à la tradition des Grayson.

— Oh, ça ne me dit rien de bon, gémit Rita.

Matthew prit une profonde inspiration.

— En fait, ils ont souri, conclut-il. Et ils ont fait quelque chose d'incroyable.

— Quoi ? s'impatienta Rita.

— Ils se sont embrassés, annonça Matthew, l'air faussement offusqué. Et ils m'ont embrassé ! Stupéfiant, non ? Il faut dire que je suis le premier à me marier et que ça fait un bout de temps qu'ils doivent espérer des petits-enfants.

Rita étouffa un éclat de rire.

— Seigneur ! J'imagine qu'il ne faudra pas les faire attendre trop longtemps.

Puis, recouvrant son sérieux, elle ajouta :

— Je crois cependant que j'aimerais t'avoir pour moi toute seule pendant quelque temps.

— Cela me convient tout à fait, mademoiselle Barone. Tous vos désirs sont des ordres.

— Dans ce cas, chuchota Rita, j'aimerais prendre le dessert chez toi.

— Oh, le restaurant propose des glaces *Baronessa*, précisa Matthew, pince-sans-rire.

— Oui, mais ce soir, je pensais à quelque chose d'un peu spécial pour le dessert, chuchota Rita.

— A quoi ?

— Nous deux.

— Il n'est pas nécessaire d'attendre.

— On ne peut pas laisser le maître d'hôtel en plan avec les côtelettes d'agneau et les filets de sole sur les bras. Il deviendrait fou.

— Ne te tracasse pas pour lui, il existe d'excellents psychiatres et il dispose certainement d'une bonne couverture médicale, répliqua Matthew en posant sur la table un chèque en blanc à l'ordre du restaurant.

— Mais je croyais que tu voulais dîner, hasarda Rita tandis qu'il passait derrière elle pour tirer sa chaise et l'inviter à se lever.

— Je préfère commencer par le dessert.

Rita jeta un coup d'œil gêné autour d'elle. Leur départ n'allait pas passer inaperçu, s'inquiéta-t-elle, rougissante de plaisir malgré elle.

Après tout, elle était une Barone. Et dans la famille, les desserts avaient toujours tenu une place importante, voire essentielle. Alors, sans plus hésiter, elle suivit Matthew pour savourer cette nouvelle vie qui s'offrait à eux.

Extrait de *Secret sur un scandale*
de Barbara McCauley

D'une main nerveuse, Emily Barone rassembla les photocopies qu'elle venait de faire. Aucun doute, elle avait sous les yeux les preuves incontestables de la trahison de son frère Derrick. Aussi incroyable que cela fût, son frère s'apprêtait bel et bien à vendre à un concurrent des secrets de fabrication.

Naturellement, le coupable avait tout fait pour éviter d'éveiller les soupçons. Même Emily, qui tenait pourtant son secrétariat, ne se serait jamais doutée de rien si elle n'avait surpris par hasard, dans l'après-midi, une étrange conversation téléphonique entre son frère et un mystérieux correspondant. Vivement intriguée, elle s'était empressée de presser la touche « Rappel » dès que Derrick avait tourné le dos. Quelle n'avait pas été sa stupéfaction, alors, de se retrouver en communication avec une standardiste de *Snowcream,* le rival le plus agressif de *Baronessa Gelati* !

Il lui avait encore fallu s'armer de patience et attendre la fin de la journée, que tout le personnel ait quitté l'usine, pour pouvoir procéder à de plus amples investigations dans les affaires de son frère. Ses craintes, hélas, s'étaient avérées : après une heure de recherches, elle avait enfin découvert le dossier compromettant, qui contenait tout le détail des accords passés avec Grant Summers, le président de *Snowcream.* Les dates auxquelles les deux hommes avaient prévu de se rencontrer, les sommes à verser en échange des informations et même le numéro d'un compte ouvert dans une banque suisse… tout y était !

La jeune femme sursauta en entendant soudain une porte claquer au loin. Sans même réfléchir, elle se précipita pour éteindre l'unique lampe qu'elle avait allumée en entrant dans la salle des photocopies. Puis, figée dans le noir, elle tendit l'oreille. Il y eut un bruit de pas étouffé et… plus rien. Elle se rapprocha alors en silence de la cloison vitrée pour écarter doucement les lames des stores baissés. En dépit des lumières éteintes, elle distingua nettement la silhouette d'un homme grand et mince, assis à un bureau.

Il se retourna et Emily retint son souffle.

Mon Dieu, Derrick !…

Le dos au mur, elle patienta encore quelques instants, ne sachant trop que faire, puis finalement, il y eut un nouveau bruit de porte. Cette fois, il s'agissait de la porte du rez-de-chaussée donnant sur l'extérieur. Derrick avait donc dû partir. Soulagée, mais seulement à moitié rassurée, Emily laissa de nouveau passer quelques minutes avant de se décider, elle aussi, à quitter l'usine. Elle n'avait pas de temps à perdre. Son frère pouvait revenir d'une seconde à l'autre.

Mais de nouveau, elle se pétrifia. Quelle était cette odeur âcre qui lui chatouillait les narines ?

Elle bondit pour rallumer la lampe et aperçut aussitôt des volutes de fumée grise passant sous la porte.

Par pitié, non !

Encore une fois, elle écarta les stores pour regarder ce qui se passait de l'autre côté. Des flammes ! Il y avait des flammes !

Mais pourquoi l'alarme n'avait-elle pas retenti ? Et pourquoi les extincteurs automatiques ne s'étaient-ils pas déclenchés ? A moins que Derrick…

Impossible. Ce serait vraiment trop affreux.

En un quart de seconde, Emily rassembla ses affaires. Tant pis, elle n'avait plus le temps de retourner dans le bureau de Derrick pour remettre le dossier à sa place. Pour l'heure, il importait de s'échapper au plus vite avant que le piège ne se referme sur elle. Puisque la salle des photocopies ne possédait aucune issue sur l'extérieur, elle n'avait d'autre choix que de retraverser les bureaux. Elle espérait seulement ne pas être rattrapée par les flammes…

La reporter leva son micro à ses lèvres en regardant la caméra de télévision braquée sur elle.

— Ici Hemming Taylor, en direct de Brookline, dans le Massachusetts. La première à être arrivée sur les lieux du sinistre. L'incendie qui fait rage derrière moi a pris dans l'un des bâtiments de *Baronessa Gelati*. Apparemment, les flammes ont déjà envahi tout le troisième étage, là où se trouvent situés les principaux bureaux de l'entreprise et l'entreprise et comme vous pouvez le voir…

La caméra pivota pour couvrir l'endroit que Hemming montrait du doigt.

— … le feu semble maintenant avoir atteint le deuxième niveau. Les pompiers, pris dans la tourmente, luttent vaillamment pour éteindre les flammes. D'autant plus anxieux d'y parvenir qu'il semble qu'une femme soit bloquée à l'intérieur.

Une explosion au troisième étage obligea la reporter et l'équipe de télévision à interrompre l'émission pour courir se mettre à couvert. Tandis que les sirènes retentissaient de toutes parts, les sauveteurs qui travaillaient à l'extérieur des bâtiments s'écartaient eux aussi pour se protéger des débris volants.

A l'intérieur, la situation était encore plus dramatique. L'explosion, pourtant survenue à un étage supérieur, avait projeté Shane Cummings à genoux. Il venait de se relever et, inquiet, tentait de distinguer Matt, son coéquipier, dans l'épaisse fumée qui avait déjà envahi l'escalier alors qu'ils venaient tout juste de passer le premier niveau.

— Ça va ? cria-t-il pendant qu'une autre explosion, moins forte que la précédente, se faisait de nouveau entendre.

Matt acquiesça d'un geste de la main, puis fit signe qu'il était prêt à poursuivre son chemin en pointant l'index vers la porte du deuxième étage.

Les deux hommes reprirent leur pénible ascension. Ils n'avaient guère le temps de flâner. Shane savait même que la raison aurait voulu qu'ils redescendent au lieu d'essayer de grimper à tout prix, mais un vigile travaillant dans un immeuble en face, de l'autre côté de la rue, avait juré ses grands dieux qu'il avait aperçu une femme à la fenêtre du deuxième. Encore deux minutes et ils feraient demi-tour, se répéta-t-il pour se donner du courage.

— Avons atteint le deuxième étage par l'escalier. Sommes dans une pièce d'environ vingt sur trente, envahie de fumée. Il y a un énorme trou dans le plafond. Essayons de nous diriger vers la fenêtre Est où une femme aurait été vue.

— Négatif, grésilla aussitôt en retour la voix rocailleuse du capitaine Griffin dans la radio. Le troisième risque à tout moment de s'effondrer sur vous. Fichez-moi le camp de là immédiatement.

— Cinq minutes et on sort.

Shane sollicita du regard l'accord de Matt, qui approuva d'un hochement de tête.

— Ne joue pas au héros, Cummings, se remit à aboyer le chef de la brigade. Déguerpissez vite fait, tous les deux, c'est un ordre.

— Bon, seulement deux minutes, s'entêta Shane, tentant de négocier. Installez-nous l'échelle à la fenêtre et on redescendra par là.

Pendant que le capitaine Griffin partait dans une bordée d'injures et de menaces, les deux hommes continuaient leur progression, marchant presque accroupis pour éviter d'être asphyxiés.

Ils contournaient maintenant un mur de feu pour arriver à la fenêtre située après une enfilade de bureaux. Entre les gravats et la fumée, il était impossible de discerner de loin si quelqu'un était étendu sur le sol. Shane sentait l'adrénaline monter. C'est seulement en se rapprochant qu'il distingua enfin un corps dissimulé sous des morceaux de tuiles tombées du toit.

— Elle est là ! cria-t-il en se retournant à demi vers son coéquipier.

Puis, par le biais de sa radio, il fit part de sa découverte à Griffin.

— Ici Cummings. J'ai localisé la femme à quelques mètres de la fenêtre Est. Il se pourrait bien qu'elle ait perdu connaissance. Me recevez-vous ?

Un sifflement résonna dans la radio, suivi de la voix du chef.

— Je te reçois cinq sur cinq, Cummings. Attrape-la et sors de cette fournaise, bon sang.

— C'est exactement ce que j'ai l'intention de faire. *Over.*

Le nouveau visage de la collection Or

AMOURS D'AUJOURD'HUI

Afin de mieux exprimer sa modernité et de vous séduire encore davantage, votre collection Or a changé de couverture et de nom depuis le 1er mars 1995.

Rassurez-vous, les romans, eux, ne changent pas, et vous pourrez retrouver dans la collection **Amours d'Aujourd'hui** tous vos auteurs préférés.

Comme chaque mois, en effet, vous y attendent des héros d'aujourd'hui, aux prises avec des passions fortes et des situations difficiles...

COLLECTION AMOURS D'AUJOURD'HUI :

Quand l'amour guérit des blessures de la vie...

Chère lectrice,

Vous nous êtes fidèle depuis longtemps?
Vous venez de faire notre connaissance?

C'est pour votre plaisir que nous avons imaginé un rendez-vous chaque mois avec vos auteurs préférés, vos AUTEURS VEDETTE *dans les collections* Azur *et* Horizon.

Les AUTEURS VEDETTE *vous donneront rendez-vous pour de nouveaux livres vedette.*

Pour les reconnaître, cherchez l'étoile . . . Elle vous guidera!

Éditions Harlequin

LE FORUM DES LECTEURS ET LECTRICES

CHERS(ES) LECTEURS ET LECTRICES,

VOUS NOUS ETES FIDÈLES DEPUIS LONGTEMPS?

VOUS VENEZ DE FAIRE NOTRE CONNAISSANCE?

SI VOUS AVEZ DES COMMENTAIRES, DES CRITIQUES À FORMULER, DES SUGGESTIONS À OFFRIR, N'HÉSITEZ PAS... ÉCRIVEZ-NOUS À:

LES ENTERPRISES HARLEQUIN LTÉE.
498 RUE ODILE
FABREVILLE, LAVAL, QUÉBEC.
H7R 5X1

C'EST AVEC VOS PRÉCIEUX COMMENTAIRES QUE NOUS ALLONS POUVOIR MIEUX VOUS SERVIR.

DE PLUS, SI VOUS DÉSIREZ RECEVOIR UNE OU PLUSIEURS DE VOS SÉRIES HARLEQUIN PRÉFÉRÉE(S) À VOTRE DOMICILE, NE TARDEZ PAS À CONTACTER LE SERVICE D'ABONNEMENT; EN APPELANT AU (514) 875-4444 (RÉGION DE MONTRÉAL) OU 1-800-667-4444 (EXTÉRIEUR DE MONTRÉAL) OU TÉLÉCOPIEUR (514) 523-4444 OU COURRIER ELECTRONIQUE: AQCOURRIER@ABONNEMENT.QC.CA OU EN ÉCRIVANT À:

ABONNEMENT QUÉBEC
525 RUE LOUIS-PASTEUR
BOUCHERVILLE, QUÉBEC
J4B 8E7

MERCI, À L'AVANCE, DE VOTRE COOPÉRATION.

BONNE LECTURE.

HARLEQUIN.

VOTRE PASSEPORT POUR LE MONDE DE L'AMOUR.

COLLECTION HORIZON

Des histoires d'amour romantiques qui vous mènent au bout du monde!

Découvrez la passion et les vives émotions qu'apportent à la Collection Horizon des auteurs de renommée internationale!

Captivantes, voire irrésistibles, ces histoires d'amour vous iront assurément droit au coeur.

Surveillez nos trois nouveaux titres chaque mois!

Composé et édité
PAR LES ÉDITIONS HARLEQUIN
Achevé d'imprimer en mars 2004

à Saint-Amand-Montrond (Cher)
Dépôt légal : avril 2004
N° d'imprimeur : 41037 — N° d'éditeur : 10461

Imprimé en France